Ciúme
O lado amargo do amor

Dados Internacionais de Catalogação na Publicação (CIP)
(Câmara Brasileira do Livro, SP, Brasil)

Ferreira-Santos, Eduardo
  Ciúme : o lado amargo do amor / Eduardo Ferreira-Santos. – 4.
ed. – São Paulo : Ágora, 2017.

  Bibliografia.
  ISBN 978-85-7183-034-9

  1. Ciúme 2. Relações interpessoais I. Título. II. Série

07-7547   CDD-152.48

Índice para catálogo sistemático:
1. Ciúme : Psicologia   152.48

Compre em lugar de fotocopiar.
Cada real que você dá por um livro recompensa seus autores
e os convida a produzir mais sobre o tema;
incentiva seus editores a encomendar, traduzir e publicar
outras obras sobre o assunto;
e paga aos livreiros por estocar e levar até você livros
para a sua informação e o seu entretenimento.
Cada real que você dá pela fotocópia não autorizada de um livro
financia o crime
e ajuda a matar a produção intelectual de seu país.

Ciúme
O lado amargo do amor

Eduardo Ferreira-Santos

EDITORA
ÁGORA

CIÚME
O lado amargo do amor
Copyright © 2007 by Eduardo Ferreira-Santos
Direitos desta edição reservados por Summus Editorial

Diretora editorial: **Edith M. Elek**
Editora executiva: **Soraia Bini Cury**
Assistentes editoriais: **Bibiana Leme e Martha Lopes**
Capa: **Alberto Mateus**
Projeto gráfico e diagramação: **Crayon Editorial**

Editora Ágora
Departamento editorial:
Rua Itapicuru, 613 – 7º andar
05006-000 – São Paulo – SP
Fone: (11) 3872-3322
Fax: (11) 3872-7476
http://www.editoraagora.com.br
e-mail: agora@editoraagora.com.br

Atendimento ao consumidor:
Summus Editorial
Fone: (11) 3865-9890

Vendas por atacado:
Fone: (11) 3873-8638
Fax: (11) 3873-7085
e-mail: vendas@summus.com.br
Impresso no Brasil

À Cynthia, ao Guilherme e à Flávia,
minha família, simplesmente porque
existem e porque, com seu amor,
carinho, alegria e compartilhamento,
dão muito mais vida à minha vida.

A todos os meus CLIENTES, que,
ao me permitirem compartilhar seus
mais profundos sentimentos, contribuem
para minha compreensão da existência
e ampliam meu próprio ser.

Sumário

Introdução 9

1   Profissão: desconfiar   11

2   Jamais diga: "Você é minha vida"   18

3   Será que não está faltando empatia?   26

4   Os acordos secretos do casal   33

5   As perguntas essenciais de cada um   41

6   A dor da traição já existia antes   49

7   As pazes já não são feitas na cama   57

8   Uma história da Barbie   63

9   Dez da noite. E toca o telefone para ela...   71

10   De perto, ninguém é normal   80

11   Com o lobo mau não tinha papo   86

12   O ciúme no seio da família   94

13   O ciúme entre irmãos   100

14   A química do corpo e o ciúme   106

Introdução

Sou psiquiatra e psicoterapeuta há quase trinta anos, mas só comecei a me interessar pelo tema "ciúme" de 1995 para cá. Naquele ano, no segundo trimestre, fui convidado por uma instituição comunitária em São Paulo a dar uma palestra sobre esse controvertido sentimento. Fiquei surpreso com o enorme interesse demonstrado por todos os presentes e os diferentes pontos de vista que manifestaram sobre o assunto. Na verdade, acabou sendo uma grande descoberta para mim e desde aquele dia passei a dedicar atenção especial ao tema. E, à medida que me aprofundava, a curiosidade aumentava. Fui ficando cada vez mais interessado em entender por que o ciúme mexia tão profundamente com a vida das pessoas.

Reuni todo o material de minhas palestras, estudos, navegações por *sites* americanos na internet e pesquisas bibliográficas e fui convidado em 1996, pela editora Ática, a publicá-lo no livro *Ciúme: o medo da perda* (atualmente na 7ª edição e hoje na editora Claridade). O sucesso foi imediato e toda a mídia, sobretudo a televisão, apresentou programas específicos sobre o tema, com altos índices de audiência. Até aquele ano, sobre esse assunto, só havia sido publicado, por autores brasileiros, o livro do psiquiatra cearense Mourão Cavalcanti, *O ciúme patológico*. Quase simultaneamente à publicação de meu livro, foi editado o estudo do psiquiatra paulista Wimer Botura, *O ciúme*. Foi então que recebi do professor Roque de Brito Alves, renomado advogado criminalista pernambucano, um exemplar da limitada edição de seu livro *Ciúme e crime*, de 1984. Recente-

Introdução

mente, ao dedicar-me ao *hobby* da genealogia, recebi o resultado de uma pesquisa solicitada à Fundação Biblioteca Nacional. Segundo essa pesquisa, o médico e historiador Manoel Duarte Moreira de Azevedo, irmão de meu trisavô materno, publicara, em 1860, o livro *Honra e ciúme*.

Hoje, após me aprofundar no estudo desse sofrido sentimento e tratar de dezenas de pacientes, que me procuraram especificamente com tal objetivo, posso afirmar que a pessoa ciumenta impõe a si própria e às vítimas do seu ciúme um grande sofrimento, que se faz presente nas mínimas coisas do cotidiano. Foi por isso que resolvi escrever um segundo livro sobre este tema. (O primeiro, embora destinado também ao leitor comum, recebeu, vamos dizer, um enfoque mais acadêmico, ao contrário deste, que é apresentado numa linguagem mais coloquial e é bastante apoiado na prática.) Portanto, vou tentar aqui esclarecer objetivamente as pessoas sobre a ação e os efeitos do ciúme, a fim de que os leitores aprendam a lidar com ele e levem uma vida mais satisfatória.

o

Profissão: desconfiar

1

Confesso que ainda tenho dificuldade de definir o ciúme. A melhor definição a que cheguei é de que se trata de um complexo de sentimentos, ou seja, são vários os sentimentos agregados na sua base. E aqui é oportuno explicar a diferença entre sentimento e emoção para prevenir uma justificável confusão de significados que sempre acompanha essas duas palavras.

Na verdade, sentimento e emoção são respostas afetivas dadas por uma pessoa aos estímulos que recebe do meio externo. Contudo, cada um tem suas características. O sentimento, por exemplo, tem durabilidade maior que a emoção e um grau de intensidade que pode ser leve, moderado ou alto. Já a emoção é sempre muito intensa e de curta duração, manifestando-se abruptamente. Além disso, é acompanhada de componentes somáticos, como taquicardia, falta de ar, excesso de salivação ou boca seca, sudorese, aperto no peito e até dores físicas – fenômenos que não ocorrem com relação aos sentimentos.

desconfiar
Profissão: desconfiar

No caso do ciúme – ao longo deste livro vamos direcionar nosso enfoque ao ciúme excessivo e doentio –, o principal sentimento é a desconfiança. O ciumento *sempre* desconfia da outra pessoa. Por isso jamais acredita nela, mesmo que esta consiga provar que suas suspeitas são fantasiosas e infundadas. Por aí se pode perceber que o ciúme se apresenta quase como um verdadeiro delírio, ainda que esse termo seja reservado para casos mais graves, verdadeiras doenças psiquiátricas, em que a simples desconfiança se transforma na mais absurda convicção. É o que pode ser observado, por exemplo, no personagem Otelo, de Shakespeare. Aliás, pesquisadores ingleses chegaram a propor o termo "síndrome de Otelo" para o quadro de ciúme delirante apresentado por algumas pessoas.

Ciúme e tipos de personalidade

NAS FORMAS MENOS GRAVES, mas que não podemos aceitar como absolutamente normais, observamos a relação das manifestações de ciúme com os diferentes tipos de personalidade. Convém esclarecer que a expressão "tipos de personalidade" não diz respeito a pessoas doentes, e sim a um jeito particular de ser; porém, no limite da sua expressão, pode caracterizar o que é chamado pela psiquiatria de "personalidade psicopática".

Para explicar melhor essa questão, vamos fazer uso de um exemplo clássico de personalidade, denominado "tipo anancástico ou obsessivo-compulsivo" – que, diga-se de passagem, é um tipo muito bem aceito na sociedade e, para terror dos que não são assim, apresentado como um modelo ideal de ser. Trata-se daquela pessoa que tem a escrivaninha sempre impecavelmente arrumada, cultiva uma pontualidade britânica, guarda as roupas numa seqüência de tons *dégradé*, com os cabides virados sempre para o mesmo lado... Suas coisas são limpas e organizadas, tem mania de limpeza e ordem. Se um quadro ou um talher estiverem tortos, ela se incomoda.

O tipo anancástico mais conhecido na literatura é o detetive belga Hercule Poirot, criado por Agatha Christie; quem leu suas aventuras sabe que Poirot não pode ver nada fora do lugar ou quebrando a simetria de um ambiente que já vai consertar imediatamente.

Essa característica não quer dizer que ele vá se tornar um doente mental obsessivo-compulsivo. Pessoas muito organizadas e cheias de manias não necessariamente se tornam vítimas do transtorno obsessivo-compulsivo, mas a verdade é que a maioria destes apresenta esse comportamento: foram anancásticos antes. O limite entre o traço de personalidade e a neurose (ou transtorno, como é chamada atualmente) é dado pela intensidade de manifestação do sintoma, que acaba por tornar a pessoa "escrava" dele – isto é, a partir de um simples traço de personalidade, de um simples jeito de ser, a pessoa começa a manifestar reações que prejudicam seu bem-estar e seu dia-a-dia. Esse era o caso do personagem de Jack Nicholson no filme *Melhor é impossível*. Nicholson, que ganhou o Oscar de melhor ator por esse papel, compunha um tipo, porém, que já estava chegando ao limite de um quadro neurótico, se não totalmente doente.

No cinema, temos ainda o personagem atormentado de Howard Hughes, interpretado por Leonardo DiCaprio em *O aviador*. Um exemplo televisivo mais atual é o do detetive

desconfiar
Profissão: desconfiar

Monk – que, entre outras manias, sempre desinfeta as mãos ao cumprimentar os outros.

Podemos citar outros tipos de personalidade, como o ciclotímico, que se destaca pela alternância de humor, apresentando-se ora depressivo, triste e pessimista, ora alegre, otimista e ousado. Ou a personalidade histérica, que caracteriza a pessoa histriônica e passional, que gesticula teatralmente, veste-se com espalhafato, costuma falar alto e adora ser o alvo das atenções. Há, ainda, a personalidade paranóide, aquele tipo desconfiado que acha que, se todos não estão contra ele agora, poderão, sob qualquer pretexto, voltar-se contra ele em algum momento. Este último e o tipo fóbico (*phóbos* = medo), que vive se furtando a enfrentar a vida e tem um medo sempre presente e relativamente maior do que o habitual, têm maior tendência a apresentar manifestações de ciúme.

Deus: ciumento ou zeloso?

ENFIM, COMO VEREMOS AO LONGO DESTE LIVRO, existe uma relação entre ciúme e tipo de personalidade. Também há uma relação entre nossa cultura, cuja raiz é judaico-cristã, e o ciúme. Dos povos da Antigüidade, os hebreus eram os que mais valorizavam o ciúme, e isso é muito evidente no Antigo Testamento. Deus, o Jeová dos hebreus, é ciumento por essência e fica clara aí a noção de exclusividade. Todos se lembram de algumas passagens a respeito, como "não servirás a dois senhores" ou "amarás a Deus sobre todas as coisas". Note que se tem, pois, o surgimento da idéia de posse. É verdade que, na leitura da *Bíblia*, esse ciúme ao qual estou me referindo também pode ser interpretado como zelo: trata-se de um Deus zeloso que está cuidando do seu povo e que dele exige reciprocidade. Mas é igualmente verdade que muitas vezes esse Deus se mostra extremamente ciumento: castiga a infidelidade e é até vingativo nesse sentido.

Em função dessa raiz histórica, nós herdamos, no meu entender, a idéia de que o ciúme é prova de amor. É conveniente lembrar a célebre frase de santo Agostinho: "Quem não sente ciúme é porque não ama". Essa herança, de certo modo, ajudou a absolver o ciúme ou pelo menos a torná-lo aceitável na nossa sociedade, apesar de todos os problemas que traz ou provoca. É oportuno lembrar que a monogamia, uma das principais justificativas para a manifestação do ciúme, é um traço cultural do povo hebreu, e nela está embutido o sentido da posse, o que quer dizer poder. O nono mandamento determina que não desejemos a mulher do próximo e o décimo, que não cobicemos as coisas alheias. Sabemos que, historicamente, a mulher sempre foi vista como propriedade do homem, inclusive porque nas antigas sociedades patriarcais a monogamia era uma via de mão única: a mulher adúltera era proscrita e apedrejada, mas Abraão, por exemplo, pôde deitar-se com Agar para ter um filho que Sara, sua mulher, não conseguia lhe dar.

Aos mais curiosos: vale a pena ler na *Bíblia*, no livro dos Números, capítulo 5, versículos 11–31, a chamada "Lei sobre o ciúme", que descreve o processo pelo qual um homem desconfiado deve submeter sua mulher supostamente adúltera ao que podemos considerar um ato extremamente vexatório e que pode culminar no apedrejamento dela.

Profissão: desconfiar

Afrodite, Eros e Psiquê

POR OUTRO LADO, O CIÚME TAMBÉM APARECE na cultura greco-romana, outro pilar do mundo ocidental. Nessa cultura o ciúme se mostra de forma explícita. Os deuses da mitologia grega eram ciumentos entre si. O mito de Afrodite e Psiquê é exemplar: esta última, sacerdotisa no templo de Afrodite, passou a ser mais cultuada do que a própria deusa devido à sua beleza. Enciumada e, na verdade, possuída pelo sentimento que é irmão gêmeo do ciúme – a *inveja* –, Afrodite manda Eros, seu filho, atingir Psiquê com as flechas do amor para que ela se apaixonasse pelo homem mais feio da Terra. Ocorre que, ao tirar sua seta para lançá-la, Eros raspa-a inadvertidamente no próprio corpo e, por isso, ao alvejar Psiquê, apaixona-se por ela. Nesse ponto, Eros começa a sentir o drama que a maioria dos homens enfrenta até hoje, isto é, fica dividido entre a mãe e a mulher amada. Ele encontrou uma solução intermediária. Passou a namorar Psiquê às escondidas da mãe, mas estabeleceu a condição de que a amada jamais poderia ver o seu rosto, pois, afinal de contas, era um deus. Certa noite, enquanto Eros dormia, Psiquê foi convencida pelas intrigas de suas irmãs a aproximar uma vela do rosto do amado. Infelizmente, uma gota de cera caiu-lhe na face e o acordou. Nesse momento, surpreso, Eros levantou-se e se preparou para partir, o que de fato fez, não sem antes se voltar para ela e dizer que "onde há desconfiança não pode haver amor", encerrando ali o romance entre os dois.

Alonguei-me nesse mito para demonstrar que, na cultura greco-romana, o ciúme não está associado ao amor, e sim à inveja e à desconfiança, representadas pelas condutas de Afrodite e

Psiquê, respectivamente. Por meio desse rápido apanhado histórico, podemos constatar a variedade dos sentimentos que estão na base do ciúme.

Percebo claramente, no chamado mundo ocidental, que o ciúme está mais presente e é mais agudo entre os povos de origem latina. A propósito, recordo-me de uma paciente norte-americana cujo marido era latino. O relacionamento era estável, mas ela se sentia incomodada com o ciúme do marido, algo que jamais havia sentido e que lhe parecia bastante estranho. Por falar nisso, nos Estados Unidos, considera-se que o ciúme fere os direitos individuais. Ou seja: a pessoa ciumenta é tida como alguém que interfere na vida do outro, alguém que cerceia as liberdades individuais, pois o ciumento realmente vasculha bolsos e bolsas, acha-se no direito de abrir correspondência "suspeita", revisa os números de telefone discados pelo outro, procura ouvir conversas na extensão e muito mais! Acredito que esse problema logo chegará aos tribunais, assim como ocorreu com a rumorosa questão do assédio sexual. Naquele país, sentir ciúme não é uma prova de amor, mas sim de incivilidade e arbitrariedade. O ciúme é visto como uma manifestação desagradável, desrespeitosa e intervencionista, a ponto de o ciumento ser discriminado e ser considerado um grande chato, inconveniente e, incontestavelmente, doente, havendo até programas especiais para o tratamento de ciumentos e *sites* na internet para aconselhamento e ajuda aos portadores desse sentimento. Esse enfoque me parece muito interessante e transformador.

o

Jamais diga: "Você é minha vida"

2

A palavra "ciúme" tem origem no latim *zelumen*, que, por sua vez, vem do grego *zelus*. Na acepção original, significaria zelo, cuidado. Essa raiz etimológica explica a confusão em torno do significado da palavra em português e também nos remete à questão do Deus zeloso e ciumento do Antigo Testamento, retratada no capítulo anterior. Há por trás disso uma tentativa de justificar a manifestação do ciúme como uma postura de cuidados e não de cerceamento da liberdade do outro. Eu até ironizo isso, brincando: "Você não tem ciúme; você tem é zelo em excesso!" No entanto, é fácil mostrar que não se trata da mesma coisa.

O que significa zelar? Para mim, é querer bem ao outro, cuidar dele, colocá-lo no foco das suas atenções – algo que faz parte da definição do amor. Ou seja: *quem ama zela*. Agora, pergunto: a pessoa ciumenta cuida bem do outro, trata bem dele? Evidentemente não, considerando-se que a base do ciúme é a desconfiança. A partir da desconfiança, pode-se unicamente tratar o outro mal. A pessoa ciumenta fala com *raiva* daquele que é objeto do seu ciúme. E, à medida que o ciúme evolui, pior fica o tratamento dispensado pelo ciumento, chegando ao ponto, em casos extremos, de violência física e até de morte. Pergunto de novo: isso é amor? Talvez eu seja inocente demais, mas acredito no lema de que *quem ama não mata*!

Altruísmo versus egoísmo

É MUITO COMUM OUVIR DE MEUS CLIENTES, homens ou mulheres, queixas deste tipo: "Ela é uma mentirosa"; "Ele está mentindo para mim". Essas queixas, além de profundamente ofensivas, uma vez que com certeza são atiradas na cara do outro no dia-a-dia, revelam o alto grau de agressividade que permeia o relacionamento e o desamor existente. Noto, na minha experiência de consultório, um componente de raiva nesse complexo de sentimentos chamado ciúme, que muitas vezes chega ao nível do absurdo, com afirmações como esta: "Se meu marido se atrasa, prefiro que tenha sofrido um acidente e que até esteja morto a estar com outra". Para mim, definitivamente, isso não é amor. Pode ser qualquer outra coisa, até amor-próprio ferido, mas não é amor pelo outro. O ciúme, nessa ótica, é um sentimento evidentemente *egoísta*, enquanto o amor, na sua verdadeira acepção, é *altruísta*.

Em geral, mas obviamente com exceções, o ciúme tem motivações diferentes para o homem e para a mulher. Esta dirige seu ciúme à preocupação afetiva, ao medo de perder o objeto do seu amor. Tanto que a maioria das esposas tem grande capacidade de aceitar a infidelidade conjugal. Uma relação sexual eventual fora de casa não a abala tanto, mas ela teme, e muito, que o marido se apaixone por outra. Ela tem medo do envolvimento afetivo, que é a condição fundamental para ele se afastar e ir embora. A tolerância feminina é bastante elástica. Já ouvi frases de mulheres na seguinte direção: "É até bom que ele tenha outra, pois assim não me incomoda tanto sexualmente". Ou ainda: "Outra experiência fora do casamento até que melhora o relacionamento conjugal!"

Esposas de gerações mais antigas até preferiam que o marido tivesse amantes com casa montada, desde que seu lar e sua vidinha fossem preservados. E aqui entramos num ponto que o psicanalista Luiz Tenório expressou muito bem: *mulheres que se casam com o casamento*, para as quais a instituição é mais importante que o marido e a infidelidade pode ser tolerada desde que eles permaneçam casados.

O ciúme nos homens e nas mulheres

NO HOMEM, O CIÚME TEM UM NÍTIDO CARÁTER de competição e de extrema intolerância. Mais do que perder a mulher, o homem tem medo de perder o *status*, a posse, a honra; teme ser passado para trás, ser traído. É claro que isso tem relação com as bases machistas que dominam a nossa sociedade e com a forte pressão social, que ajudam a impulsionar o ciúme masculino. Para termos uma idéia dessa carga, basta colocar as duas situações em cotejo: um homem traído e uma mulher traída. A idéia de uma mulher traída é muito mais bem aceita e assimilada, não existe na linguagem popular "uma corna mansa". No caso do homem, entretanto, constitui-se num estigma, o homem "corneado" é

um desgraçado cuja auto-estima chega ao nível mais baixo. Essas situações deixam muito claro que o ciúme não é prova de amor, e sim de posse. Gostaria de insistir neste ponto: amor é um sentimento altruísta, o ciúme é egoísta. Vou insistir mais: o amor é movido pelo zelo, a posse carrega o ciúme.

No meu entender, a prova de amor concreta e verdadeira é o zelo, algo muito difícil de praticar. Pra tanto, é necessário compreender e aceitar o outro; saber quais são suas necessidades e desejos para tentar atendê-los. Cada um desses verbos implica um esforço profundo e é por isso que a maioria das pessoas tem dificuldade para entender o que é o amor. É por esse motivo que entramos numa livraria e encontramos milhares de títulos a respeito do tema. A realidade é: não aprendemos sobre o amor nem em casa nem na sociedade.

Necessidade ou complemento?

ACHO QUE VALE A PENA ME ALONGAR NESTE ASSUNTO, partindo do que já aprendi sobre ele na clínica e em minha vida particular. O amor ao outro implica, em primeiríssimo lugar, amor a si mesmo. Isso quer dizer o seguinte: *em primeiro lugar, eu me amo, eu gosto de mim, no sentido de estar satisfeito comigo mesmo, de ser capaz de ter idéias próprias, de ter uma percepção correta do mundo que me cerca e de mim mesmo, bem como de saber sentir e lidar com meus sentimentos; de modo que não preciso do outro para viver, para me completar; quero o outro para amá-lo e ser amado por ele e assim enriquecer a nossa vida, completando-nos.* Em outras palavras, o outro não precisa ser a mão que eu não tenho, e sim a luva grossa que me ajuda a pegar a panela quente! O outro não precisa me indicar o caminho que devo seguir, mas pode e deve conversar comigo sobre as opções possíveis. Podemos e devemos *compartilhar a vida,* nunca *completar uma única vida.*

Que me desculpem aqueles que ainda acreditam na "tampa para a minha panela", na "outra metade da laranja" ou no "eu não vivo sem você". Cada um de nós é uma laranja inteira e eu gostaria que isso ficasse bem claro. "Metade da laranja" pode até ser uma declaração de amor bonita e forte, apesar de, absolutamente, não ser saudável.

Nos dias de hoje, as relações afetivas entre duas pessoas são confundidas com relações de necessidade, ou seja, as uniões não decorrem fundamentalmente do amor, mas de uma necessidade (muitas vezes inconsciente), algo que já é erroneamente, a meu ver, interpretado como uma declaração de amor. Basta lembrar *I need you* (Eu preciso de você), clássica canção dos Beatles. O título é um apelo dramático que nada tem que ver com o bem-estar acarretado pelo amor.

Outro bom exemplo é o relacionamento aparentemente maravilhoso do célebre *Casal 20*, do seriado da televisão: um chamava o outro de "minha vida". Pergunto: como alguém pode ser a vida do outro? Que tipo de felicidade pode subsistir numa pessoa que se anula dessa forma, a ponto de entregar sua existência para o parceiro ou fazê-la girar em torno dele como se o outro fosse parte dela mesma? No meu entender, onde existe o verdadeiro amor, a declaração saudável é: "Eu não preciso de você, mas sua presença dá muito mais luz à minha vida, torna-a mais leve e gostosa de viver. *Porém, a minha vida é minha, e a sua vida é sua".*

Uma questão de (in)dependência

É CLARO QUE, COM O DESENROLAR DA RELAÇÃO, criamos projetos em comum, compartilhamos sonhos, filhos, algo assim como uma terceira entidade entre este *eu* e *você* – o *nós*. Esse me parece ser o sentido do amor, e não uma relação de *simbiose*, em que se dá a posse recíproca do casal, em que um passa a viver em função do outro em estreita *dependência*. Lembra um pouco a história do fungo e da alga – o líquen: se um morre, o outro vai junto.

O campo criado pela simbiose é fértil para o desenvolvimento do ciúme. As relações simbióticas são muito pobres, porque embotam o crescimento do casal ("Eu não posso perder você, pois você é parte de mim; se eu perder você, me desespero"). Essa conduta está ligada a necessidades psicológicas muito profundas. Basicamente, consiste numa necessidade de a pessoa organizar o próprio ego; assim, *para organizar meu ego* – ou seja, para organizar a própria individualidade –, *eu preciso do outro*. Eis aqui a noção de necessidade, que, com a de propriedade, é o primeiro passo para que o zelo transforme-se em ciúme. Aqui sim, de fato, não existe o outro; existe a metade da laranja que faltava, pois eu era apenas meia laranja, meia pessoa!

Como se percebe, a relação de simbiose é muito complexa e torna as pessoas infelizes por provocar a dependência do outro. Infelizmente, é comum. E aqui cabe uma nova pergunta: por que essa necessidade tão desesperada do outro? Novamente, vou usar o recurso do "eu e você" para facilitar a explicação: "É que *eu* preciso de você porque não tenho meu eu completamente formado, não consegui estabelecer um desenvolvimento adequado dele; por essa razão, preciso das suas funções psíquicas emprestadas. Preciso da sua percepção, da sua capacidade crítica, do seu controle, da sua forma organizada de pensar, da sua maneira de sentir. Enfim, preciso muito de você para me ajudar a relacionar-me com o mundo, pois sozinho eu não vou conseguir". Nesse caso é possível notar a extrema necessidade que a pessoa tem de controlar e reter o outro sob o pretexto do ciúme e, portanto, do amor.

Sinceramente, não vejo saída para uma pessoa ciumenta a não ser procurar desenvolver sua personalidade, sua auto-estima, seus conflitos inconscientes, seus verdadeiros sentimentos, para fugir de relações e situações neuróticas. É interessante observar que, justamente por apresentar características neuróticas, existem pessoas que estabelecem relações pouco saudáveis. A neurose é uma doença que se auto-alimenta, isto é, o neurótico procura situações que aumentem sua neurose. Uma pessoa insegura, por exemplo, vai relacionar-se com quem aparentemente lhe dê a força e a segurança de que precisa, mas, lá no fundo, este outro, seguro e confiante de si, desperta nela pouca confiança e perpetua sua insegurança.

A insegurança

É PRECISO, NO ENTANTO, FAZER UMA RESSALVA: em geral, todos somos inseguros, pois a vida, em si, é imprevisível. As coisas do amor, por exemplo, podem ser previstas? Costumo dizer que *pessoa segura é aquela que tem consciência da sua insegurança* e de que as mudanças bruscas podem acontecer tanto amanhã como no próximo minuto. É claro que isso é válido para o assunto que estamos discutindo. Podemos dizer e sentir que uma relação amorosa é intensa e profunda, jamais que é eterna. Eis um tópico que gosto muito de debater: a profundidade e a durabilidade de uma relação. Muitas pessoas confundem profundidade e intensidade com durabilidade. Transformam a frase "eu te amo muito" em "vou te amar para sempre". Aqui vem bem a calhar aquele magistral verso do poeta Vinicius de Moraes em seu "Soneto de fidelidade": "Que não seja imortal, posto que é chama, mas que seja infinito enquanto dure".

Para encerrar este capítulo, quero voltar a um tema sobre o qual já falamos, a simbiose: se a extrema dependência de uma pessoa não é saudável e deve ser evitada, não devemos cair no outro extremo, que á a busca impossível de autonomia absoluta. Como já mencionei, posso ter plenamente desenvolvidas minhas funções de ego, mas sempre será melhor viver ao lado de quem possa ampliar meu eu e aprender comigo, também crescendo. Se o sentido da vida, como dizem alguns filósofos existencialistas, é a relação, e a vida é uma grande escola que nos leva à evolução individual, psíquica, física e espiritual, o outro é parte integrante do nosso desenvolvimento, como aprendiz e como mestre. Parafraseando um antigo ditado oriental, costumo dizer que a forma sábia de viver a vida não é passá-la discutindo o poder com o outro, e sim aprendendo ou ensinando com ele!

Aqueles que julgam ter todas as suas funções e capacidades totalmente desenvolvidas são uma espécie de deus. E nós estamos longe disso, não é mesmo?

o

Será que não está faltando empatia?

3

Freqüentemente, durante minhas entrevistas, palestras e nas conversas com meus amigos e clientes, as pessoas me fazem esta pergunta: não é natural do ser humano sentir ciúme pelo medo de perder a pessoa amada? Respondo que sim, que é um medo normal. Mas eu prefiro classificá-lo como uma insegurança que faz parte da vida, pois sabemos que nenhuma relação é cem por cento segura.

Vamos tomar um exemplo do cotidiano: "Gosto de minha mulher, que é jovem, bonita e atraente e, eu sei, vai ser cortejada por outros homens. Sei que tenho minhas qualidades, mas não sou uma das sete maravilhas do mundo. Portanto, corro o risco de perdê-la. Se eu me encontrar numa situação em que esse risco fique palpável, posso ficar inseguro ou, se preferirem, enciumado. Então, o que posso fazer?"

Esse exemplo me faz lembrar uma personagem do livro *O sol também se levanta*, de Ernest Hemingway, em que um homem faz referência à festa de San Fermín, em Pamplona, na Espanha, aquela comemoração maluca em que, por vários dias, as pessoas correm dos touros pelas ruas. Ele aconselha: "Não leve sua mulher, pois ela vai ter de beber bastante, comer fora de hora, passar noites sem dormir e alguns dias sem tomar banho, dançar com desconhecidos e correr dos touros. Se enfrentar tudo isso é porque é uma mulher especial, e assim é muito provável que encontre alguém melhor do que você".

Cultivar a relação: o melhor caminho

O CAMINHO PARA APLACAR ESSA ANSIEDADE de perder e também de encontrar um limite possível de segurança é procurar melhorar a relação e alicerçá-la cada vez mais. Mas, atenção: essa gestão implica outras questões que podem parecer paradoxais. Uma delas é que a ânsia de manter a relação pode levar a pessoa a se anular, agindo contrariamente a seu modo de ser, pensar e sentir. Seria uma atitude falsa e portanto inconsistente, pois ninguém consegue conservar uma relação afetiva se não for autêntico. Nesse caso, a pessoa vai se anulando, vai cedendo e um dia os ressentimentos afloram e explodem.

Trata-se, como se vê, de uma situação complicada, mas, como já escreveu Guimarães Rosa, viver é um negócio perigoso e a gente não pode fugir disso. Viver, no que diz respeito a um casal, exige que dois seres humanos se encontrem e se juntem tendo em mente que esse encontro – que é temporal, isto é, definido no tempo – pode e deve ser alimentado e cultivado para que se torne mais duradouro. Deve-se ter em mente também que ele é passível de interrupção, seja pelo próprio desgaste, por sedução externa e, é claro, pela morte. A comparação pode ser dramática, mas é algo parecido com a nossa convivência com a morte. Sabemos que vamos morrer e deparamos permanentemente com essa angústia. Qual é a solução para ela? No meu entendimento, é viver com intensidade, pois assim damos um sentido à vida, diminuindo o da morte. A situação inversa, e na minha opinião pior porque não tem sentido, é a das pessoas que, por medo de morrer, vivem pouco. Voltaire alertava sobre homens que preferem viver pouco para não morrer muito e, acrescento, acabam se transformando em mortos-vivos. Assim é uma relação: deve ser vivida intensamente, e disso fazem parte o zelo e os cuidados para sua preservação.

A insistência em manter uma relação, mesmo à custa da própria anulação, também pode esconder o medo que se tem de ficar sozinho. Tenho observado que esse temor da solidão é bem mais comum nos homens do que nas mulheres, embora elas o manifestem abertamente. Talvez, suponho, devido a uma revivência freudiana masculina da dependência em relação à mãe.

A planta enxertada e o choque

AQUI ENTRAMOS NUM TERRENO DELICADO, que é a relação de co-dependência, irmã gêmea da simbiose, quando não se confunde com ela. Estou me referindo à dependência emocional do outro. Vou dar outro exemplo para ilustrar tal circunstância: a planta enxertada. Ela floresce e dá frutos porque tem um suporte que a sustenta, mas cujo papel e importância ela ignora. Ou seja: essa dependência é oculta, a pessoa não tem consciência dela. E só vai se dar

Será que não está faltando empatia?

conta disso quando surgir um rompimento, perplexidade muito bem resumida na célebre frase, em geral proferida por mulheres: "Meu mundo caiu". Eu já tinha ouvido falar dessa inconsciência, mas somente tive contato com ela, em toda sua extensão, durante uma seção de grupo de terapia. Um dos participantes perguntou ao outro, após ouvi-lo discorrer sobre os problemas do seu casamento: "Mas a sua mulher não percebe que o casamento de vocês está ruim?" Um terceiro membro do grupo, uma mulher, entrou na conversa e disse, com segurança: "Não, ela não percebe e tenho certeza de que, na hora que você lhe disser, vai ser um choque". Dito e feito. Algumas sessões mais tarde aquele paciente descreveu sua conversa com a mulher e completou: "Sua reação foi de choque total, mas o curioso é que venho lhe dizendo, há uns dez anos, que vivemos mal, que estamos desencontrados sexualmente, que não temos diálogo e, apesar disso, ela não havia se tocado de que nosso casamento estava desgastado".

A importância da empatia

QUERO LEMBRAR QUE ESSA REAÇÃO de surpresa não é exclusiva das mulheres. Quantas vezes um homem responde para a mulher, se ela se queixa da qualidade do casamento: "Do que você está reclamando? A geladeira está cheia, o carro é do ano, os filhos estão em boas escolas, a família está com saúde..." Ele não percebe que o foco das necessidades dela é outro. Sua falta de sensibilidade demonstra que está faltando para esse casal um sentimento humano chamado *empatia*. A empatia tem várias vertentes, mas esta da qual estamos falando é a capacidade de perceber o outro. Aliás, observo que as pessoas, em geral, têm enormes dificul-

empatia
Será que não está faltando empatia?

dades nesse campo. Talvez porque, na maioria das vezes, sejam excessivamente autocentradas, voltadas para seus direitos e desejos, de modo que poucos percebem o que falta ou o que está acontecendo com o outro.

Se retomarmos aquela questão da simbiose, esse comportamento de não perceber o outro começa a fazer sentido: "Se o outro sou eu (pois na simbiose o casal tenta ser uma só pessoa), ele não existe; eu não o vejo porque ele não existe, por isso não consigo percebê-lo sufocado sob meu peso".

Tenho exemplos até cômicos a esse respeito. Lembro-me de uma mulher que deu um terno verde caríssimo para o marido, que detestava a cor verde. Ele ficou num dilema, que quis debater na sessão de grupo. Como não aceitar um presente que era um gesto de amor? Por outro lado, se o recebesse estaria assinando um atestado de desamor a ela, traduzido no desconhecimento do seu gosto. Se examinarmos bem o problema vamos notar que ela, de fato, não o ama. Ama, sim, o homem que gostaria que ele fosse e não quem ele é realmente.

Eu me detive nessa história porque seu conteúdo traz embutidos dois aspectos importantes: o primeiro é o da falta de percepção, a ausência de empatia, e o segundo, a falta de respeito, uma vez que não existe um reconhecimento da identidade e da individualidade do outro. Isso me dá oportunidade de lembrar a importância essencial do respeito no amor e como o ciúme é uma prática profundamente desrespeitosa. Porque, ao não acreditar no outro, ao negar sua autenticidade e honestidade, o ciumento não o reconhece, não o respeita. Por isso, muitas vezes o clima criado em torno dessa relação leva o "ciumado", vamos chamá-lo assim, a se violentar, fato que apenas vai ampliar o desamor.

Tomemos o exemplo de um homem cuja gerente da sua conta bancária é bonita e simpática, e sua mulher não só sabe disso como já arrumou encrencas a respeito. Então o que ele faz? Se precisa ir ao banco, vai dizer à mulher que está saindo para almoçar ou se encontrar com amigos; vai inventar mentiras, tornando-se cúmplice do ciúme dela. Passa a agir desse modo em outras circunstâncias parecidas. O processo vai crescendo até transformar a vida do casal num amontoado de mentiras, fantasias e subterfúgios cujo desfecho é imprevisível. Na maioria das vezes acaba mal.

Mãe ou mulher?

EXISTE OUTRO TÓPICO MUITO INTERESSANTE e também rotineiro nas relações no que diz respeito à falta de empatia. É a tendência da mulher de querer modificar o homem que escolheu como companheiro. Os norte-americanos, que gostam de fazer estudos desse tipo, provaram que a mulher – talvez em razão da maternidade, que faz dela uma educadora nata – sempre acha que vai educar o futuro marido depois que se casarem, corrigindo defeitos e vícios que ele possa ter. É muito comum ouvirmos da futura esposa algumas promessas e certezas: "Ele bebe um pouco ou costuma ser mulherengo. Mas depois que casar comigo ele vai mudar, eu vou mudá-lo." Essa pretensão, em si, evidencia a dificuldade de aceitar as limitações do outro, que, de resto, todo ser humano tem.

Como eu disse, essa tendência é própria da mulher. A postura masculina num relacionamento é aceitar ou não uma mu-

empatia
Será que não está faltando empatia?

lher como ela é de fato. A verdade é que as pretensões de mudar o marido, em geral, não serão bem-sucedidas, e a mulher terá de agüentar o marido freqüentemente embriagado e todos os problemas decorrentes disso ou passar seus dias sentindo ciúme de cada novo lance de sedução que perceba nele. Cabe então uma pergunta: por que um casamento dessa natureza acontece? Tento dar a resposta no próximo capítulo.

o

Os acordos secretos do casal

Ao casar, as pessoas assinam três contratos. O primeiro é social, que pode ter aval jurídico ou não: "Vamos viver juntos, vamos dividir nossos bens ou não". Paralelamente, há um acordo psicológico no qual eles juntam afinidades e desejos: "Temos nossos planos e projetos, gostamos das mesmas coisas, vamos ter dois ou três filhos e uma bela casa". O terceiro contrato é aquele no qual um coloca no outro suas expectativas, que podem ser resumidas nesta pergunta: "Por que estou me associando a ele ou a ela?"

As sutilezas da relação

NESSE PONTO PAIRAM MUITAS SUTILEZAS, sendo que algumas, na maioria das vezes, não são bem colocadas por serem embaraçosas e não muito conscientes. Por exemplo, a busca de satisfação econômica. A mulher procura um homem que pelo menos tenha um emprego (uma imagem tênue do pai), e ele, uma parceira que saiba, no mínimo, cuidar de uma casa (de novo, a imagem

acordos
Os acordos secretos do casal

materna). Essas sutilezas, que fazem parte das escolhas entre ambos, vão se aprofundando com vistas à realização das expectativas mencionadas acima. A mulher pode ser introvertida e esperar que ele, sendo extrovertido, preencha suas necessidades ajudando-a a enfrentar situações que a limitam, como levá-la a determinados lugares onde sinta medo ou aos quais tenha inibição de ir. Ele, por sua vez, pretende que a introversão dela o segure um pouco, não o deixe dar asas à sua extroversão, como se fizesse um apelo: "Sou mulherengo e preciso de uma mulher que me controle, porque sei que não é legal ser mulherengo, só que não consigo me controlar!" A experiência me mostrou que, em geral, a companheira de um homem com essa característica é uma mulher dominadora que parece prometer a si mesma: "Vou dobrar esse cara, vou vencer".

A rã e o escorpião

ESTOU ME ALONGANDO NESSE EXEMPLO porque se trata de uma situação corriqueira e conflituosa entre casais. Pois bem: esse é um modelo dos contratos secretos que os casais fazem. Note, porém, que as questões principais ficaram no ar; eles não se sentaram para conversar. Se o tivessem feito, acredito que o diálogo seria assim:

Ele – Olha, eu sou mulherengo, não gosto disso, isso me chateia porque eu queria ser um cara sério.

Ela – Eu vou conseguir. Vou te dominar, você vai gostar só de mim e vai ficar só comigo. Você topa?

Ele – Topo, mas olha que ser mulherengo é da minha natureza.

Os acordos secretos do casal

Reproduzi esse diálogo para introduzir a fábula da rã e do escorpião. Ambos queriam atravessar o rio, e o escorpião propôs à rã que ele fosse nas suas costas. Ela argumentou que os escorpiões ferroam instintivamente e que isso poderia acontecer no meio do rio. O escorpião rebateu chamando-a de burra, lembrando que, se a picasse, ele também morreria, pois não sabia nadar. Com isso, a rã ficou convencida e concordou em levá-lo. No meio do rio, de repente, o escorpião dá a ferroada nela. Enquanto ambos afundam naquele abraço de morte, a rã pergunta, perplexa: "Por quê?" O escorpião ainda teve força para responder: "Desculpe-me, é a minha natureza".

Essa historinha, conhecida como o mito do escorpião do Nilo, nos ensina que existem características da natureza de uma pessoa muito difíceis, se não impossíveis, de ser mudadas. De modo que o marido continuará mulherengo, e sua mulher vai sofrer com o ciúme decorrente.

Desvendando o triângulo amoroso

UM PERSONAGEM QUE ILUSTRA MUITO BEM esse tipo de homem é Vadinho, de *Dona Flor e seus dois maridos*, de Jorge Amado. Permito-me fazer, só por curiosidade, um breve comentário sobre a trama do livro. O triângulo amoroso formado por Vadinho, Flor e pelo farmacêutico Teodoro é um ajuste perfeito: de um lado Vadinho, com seus traços psicopáticos; de outro Teodoro, um obsessivo; e por fim Flor, com suas características histéricas. Os três, cada qual com seu defeito de ego, acabam se completando. Flor, que aceitava a contragosto as escapadas do primeiro marido, é sensível, mas é desorganizada e tem pouca coragem

Os acordos secretos do casal

de realizar seus impulsos afetivos – como toda histérica. Daí precisar dos arroubos de Vadinho e do sentido de organização de Teodoro. Este, um homem rígido e contido, é reflexivo e calculista, mas tem dificuldade de sentir e de ousar, de modo que necessita da coragem de Vadinho e da sensibilidade de Flor. E Vadinho, cuja vida é um caos, levada aos trancos e barrancos, e com o mesmo bloqueio de sentimentos que encontramos em todo mulherengo, também busca a ordenação de Teodoro e a afetividade de Flor.

Digo que o ajuste é perfeito porque se passa num nível sobrenatural – afinal de contas, Vadinho é um fantasma. Entretanto, se estivessem vivenciando uma situação real, apesar de buscar inconscientemente a situação, os três viveriam um quadro de conflito.

Na verdade, vários casos de "triângulos amorosos" vividos na sociedade se alicerçam nesse esquema. Verifique, nos casos de infidelidade de amigos, como sempre há um deles que age de forma irresponsável, descomprometida, sedutora (psicopática); outro, que é o organizado, procura pôr ordem em tudo, preocupa-se demasiadamente, controla os mínimos detalhes (obsessivo); e o terceiro, que é a sedução em pessoa, livre e ousado, carente e apaixonado, que se submete "por amor" (histérico). Não que sempre seja assim, mas geralmente o primeiro é o marido, a segunda é a esposa e a terceira, "a outra"!

A barreira de linguagem

VOLTEMOS À QUESTÃO INICIAL DESTE CAPÍTULO. Naquela conversa sugerida entre o mulherengo e sua futura esposa há um aspecto que

Os acordos secretos do casal

julgo interessante discutir por estar ligado a situações de conflito em uma relação a dois: trata-se da existência de um diálogo masculino e de outro feminino, ou seja, existe uma barreira de linguagem, da maneira como cada um se coloca no diálogo. A mulher, por exemplo, quando vive e conta um problema, tem necessidade de se estender sobre ele, quer ampliá-lo ouvindo a opinião do companheiro, deseja divagar, historiar e expor seus sentimentos. O homem tem posição oposta: se surge um problema, não quer divagar sobre ele; em vez disso, procura solucioná-lo sem demora.

Há a história (que eu gosto de repetir porque assinala de forma caricata a falta de diálogo na relação) da mulher de um executivo que, logo que ele chega em casa, lhe diz, à queima-roupa:

– A empregada vai embora!
– Problema seu – responde ele.
– Ela diz que está grávida – insiste a mulher.
– Problema dela – diz ele, já perguntando do seu uísque.
– Ela disse que o filho é seu! – grita, aflita, a mulher.
– Problema meu – responde ele, impassível, encerrando a conversa!

É evidente que, se não houver sensibilidade ou empatia, eles vão se magoar mutuamente. Por esse antagonismo inerente aos dois sexos, pode-se deduzir a dificuldade de entendimento no todo de um relacionamento homem–mulher.

Muitas pessoas reclamam de como faz falta conhecer ou ter informações sobre o caráter psicológico do ser humano. De

acordos
Os acordos secretos do casal

fato, a maioria não recebe esse tipo de aprendizado na sua formação, e acredito que, se tivesse acesso a ele, poderia ter uma vida mais satisfatória. É por isso que sou inteiramente a favor da divulgação de assuntos da psicologia humana na imprensa leiga, em programas de televisão, em livros. O problema é que quem acaba tendo acesso são aqueles que já estão familiarizados com os temas.

Apesar disso, tenho notado um fenômeno interessante que está ocorrendo nas relações afetivas entre os jovens. A jovem, talvez por ser mais ligada a assuntos afetivos, logo no início, impõe que o namorado faça terapia ou procure ler sobre relacionamentos a dois. Isso me faz pensar que a mulher está tendo um papel mais ativo nas relações, está selecionando melhor. Ao encontrar um parceiro próximo daquilo que quer, procura orientá-lo antes de consumar a relação ou o casamento.

A educação como sensibilizadora

NO FUNDO, SABEMOS QUE ESTAMOS FALANDO de uma questão maior, que é a educação (ou sua falta). Por isso, coloco tudo na mesma cesta: a falta de informação para uma relação afetiva consistente tem que ver com o menino de 16 anos que não cede lugar no ônibus a uma mulher grávida com outro filho nos braços. Como poderemos falar de empatia com esse rapaz? Trata-se de uma postura que nossa sociedade perdeu ou nunca teve, a sensibilidade para perceber o outro. Muitas vezes, em terapias de casais, o marido, ao ouvir a mulher, concorda com ela e depois faz tudo ao contrário em casa, pois o que foi discutido não estava no seu código. Ele aprendeu que o homem age assim e a mulher, assado, e vice-versa. É por esse motivo que insisto em educação e informação.

E, por falar em educação, me vem à lembrança outra pergunta que sempre me fazem: a formação que se recebe em casa origina uma pessoa ciumenta? Para tentar responder com clareza a essa pergunta, retomo a definição do ciúme como um complexo de sentimentos. Começo por lembrar que o ciumento é uma pessoa que tem baixa auto-estima, isto é, não consegue dar a si o valor que na realidade tem. Portanto, é, *a priori*, alguém "traível", "abandonável", pois criou a cognição ou o pensamento de que pode ser traído porque, de algum modo, constatou que a honestidade e a reciprocidade nas relações não valem a pena.

A desconfirmação

É UMA EXPERIÊNCIA QUE SE ORIGINA dos primeiros tempos da infância e da relação com os pais, em que provavelmente foi desconfirmado e desrespeitado. A desconfirmação é o não-reconhecimento dos sentimentos da criança, o que pode representar, para ela, a negação da sua identidade, ou seja, a negação dela própria. Não reconhecer, por exemplo, que ela está com medo do escuro: "Não, você não tem medo do escuro". Ou negar seu desejo: "Não, você não quer esse brinquedo". A desconfirmação pode ter sérias repercussões psicológicas. Por outro lado, reconhecer e aceitar o sentimento ou o desejo da criança não significa encampá-lo ou realizá-lo. Os pais poderão tentar convencê-la ou demovê-la e, no caso do brinquedo, até não comprá-lo. Mas o importante é reconhecer e aceitar o desejo, repito, mesmo não o satisfazendo.

Assim, a pessoa desconfirmada e desrespeitada cresce achando que vale pouco, e, com base nessa linha de pensamento, estabelece que, se não tem valor, o companheiro vai a qualquer hora trocá-la por outra (que, certamente, terá mais valor que ela). Esse é um terreno fértil para o surgimento e para a expansão do ciúme, agravado se a criança tem modelos pra influenciá-la – por exemplo, se cresceu num ambiente em que a infidelidade era presente ou o casamento era permeado pelo ciúme.

Como se vê, existem múltiplos fatores que levam ao desenvolvimento do ciúme: a insegurança, o medo, a instabilidade e a própria desorganização pessoal. Essas condições podem até criar uma personalidade paranóide: a pessoa vai desconfiar do parceiro, do sócio, do vizinho, estará sempre vigilante. Em casos exacerbados, pode-se manifestar um surto psicótico, em que a pessoa passa a acreditar que está sendo perseguida, que há de fato um complô contra ela. Por outro lado, o ambiente familiar pode produzir, também por um mecanismo de reação ao meio, uma pessoa não confiável, alguém com a tendência de trair. E, justamente por saber-se assim, *projeta* sua desconfiança em todo mundo. É importante ressaltar que tudo que pensamos, supomos ou julgamos do outro sem conhecê-lo é projeção. É somente por meio do contato e do conhecimento que saberemos quem é o outro. Recorro aqui à teoria do existencialismo: a existência precede a essência. O que quer dizer isso? *Primeiro você existe e depois você é, de modo que, antes de dizer se você é bom ou mau-caráter, preciso conhecê-lo.*

As perguntas essenciais de cada um

5

Muita gente costuma me dizer que o ciúme, justamente por desgastar uma relação que pretende proteger, é um sentimento (ou complexo de sentimentos, digo eu) absolutamente inútil. Sempre discordo dessa idéia e a contesto, pois um bom caminho para tentar compreender e aceitar o ser humano é entender que os sentimentos não existem para ter (ou não) serventia prática – eles apenas fazem parte de nós. São respostas emocionais e afetivas a determinados estímulos externos ou internos, e expressá-los é essencial para nossa saúde. Segundo a teoria psicanalítica, o sentimento mexe com o movimento energético intrapsíquico, gerando uma tensão que é liberada exatamente pela expressão. O problema está em não expressar o sentimento; desse modo, a energia fica guardada e se distribui pelo corpo, psicologicamente falando, podendo dar origem a doenças psicossomáticas.

As perguntas esseciais de cada um

Expressar os sentimentos: o melhor caminho

PELO INTERESSE QUE ESSE ASSUNTO DESPERTA, acho que vale a pena discorrer mais sobre ele. Começo com um exemplo de uma de minhas pacientes. Ela é diabética e estava com 330 de glicemia, nível altíssimo de açúcar no sangue. Separada recentemente – há menos de um ano –, ela ainda não havia aceitado o desfecho. Na evolução da sessão ficou claro que, além da saudade e da revolta, ela sentia como se uma parte dela tivesse sido arrancada, pois todo o seu valor estava concentrado no marido. Eu aproveitei o ensejo e disse, em tom de brincadeira, que era como se seu *pâncreas* tivesse sido arrancado, de modo que ela não tinha como produzir a insulina necessária para aproveitar a energia dos alimentos que ingeria. Ela começou a refletir sobre isso e todo o grupo passou a se perguntar por que a traição é algo tão pesado para nós. E eu também fui deduzindo e interpretando com aquela paciente. Uma das minhas deduções é de que a traição remete a vivências pré-verbais, àquele período que não é muito claro na consciência e que, por sua vez, remete ao sentimento de exclusão da criança em relação aos pais, assunto de que trataremos mais adiante.

Essa paciente me dizia que se sentia humilhada e abandonada. Perceba que esse não é o discurso de um adulto. Como um adulto pode ser abandonado? Era o discurso de uma criança se sentindo abandonada. Fomos, então, interpretando os fatos em conjunto e o processo levou-a a lembrar que, na sua história de infância, se fazia muito presente uma sensação de abandono por parte dos pais, particularmente da mãe, que a colocava em segundo plano, privilegiando os irmãos. Para uma criança, essa

As perguntas essenciais de cada um

sensação é extremamente dolorosa e pode voltar a se reproduzir na vida adulta, quando se dá um curto-circuito presente–passado, que constitui o próprio fenômeno da transferência: ela estava revivendo no momento a mesma emoção guardada e reprimida num tempo passado da sua vida.

Antes de vir para a sessão, essa paciente havia comprado, na loja de um colega do grupo, um aparelho de medir glicemia e pediu-lhe que a ensinasse a manuseá-lo. Ele o fez e a glicemia da pessoa em questão estava em apenas 93 pontos ao final da sessão! Fiquei a semana inteira com essa experiência na cabeça...

Minha cliente havia tido o que se chama de um verdadeiro *insight* — e o seu caso é um exemplo de como emoções ou sentimentos reprimidos podem interferir em nossos órgãos — no caso dela, no pâncreas. Com todos os anos de experiência terapêutica que tenho, nunca havia visto algo tão espetacular e, o que é quase impossível em psicoterapia, com o referendo de um teste quantitativo da dosagem de açúcar no sangue!

Com isso não estou querendo dizer que as pessoas devam dar vazão ao seu ciúme, "botar pra quebrar", como se diz. Aliás, muita gente usa este argumento: "Não é para reprimir, é para liberar geral".

O ponto-chave da questão é fazer estas perguntas: por que o ciúme? O que está me levando ao ciúme? Acho que a primeira coisa que se deve fazer é expressar o sentimento com muita clareza, pois a maioria dos ciumentos não se dá conta de que tem ciúme. Conheço homens que negam de pés juntos e mão no peito. Armam um escândalo e, quando a mulher pergunta a razão do ciúme, negam sua existência: "Não estou com ciúme,

perguntas
As perguntas esseciais de cada um

você é que estava dando bola para aquele cara..." Há também os que mentem sobre os sentimentos e sabem disso. (Não é esse o caso de que estamos falando, pois negar não significa mentir. No meu entender, o melhor caminho é identificar se existe o ciúme, constatá-lo. Depois, tentar descobrir o que o está provocando.)

Perguntas e respostas

QUERO RESSALTAR QUE A MANIFESTAÇÃO de ciúme é um *sinal de alerta* de que algo está errado comigo, com o outro ou com a própria relação. E é preciso buscar respostas para estas perguntas: "Há algo de errado comigo, com o outro ou conosco na nossa relação? O que é que não está bom? O que é que está acontecendo, em primeiro lugar, comigo: como anda minha auto-estima; quanto valorizo a mim mesmo; quanto sei de minhas potencialidades; quanto estou bem comigo mesmo; quanto me dou o direito de ser, de existir, de ter as coisas que tenho? Sou possessivo com minha mulher assim como sou com meu cachorro e com a escova de dentes? Como eu lido com o fato de ela ser muito sensual e atraente e com a possibilidade de que vá chamar a atenção? Será que não estou fragilizado atualmente, vivendo alguma crise?"

Em segundo lugar, vêm as perguntas que precisam ser respondidas sobre o outro: "Como ele se relaciona comigo e qual é a sua postura de maneira geral? Como lida com seu poder de atração e sensualidade?" E assim por diante.

No tópico da sensualidade quero alertar, particularmente no caso das mulheres, que muitas não têm consciência do poder de sedução que possuem: exibem, sem se dar conta, palavras e pequenos gestos que exalam sensualidade, e nem se trata de be-

As perguntas essenciais de cada um

leza física. Seu parceiro, porém, percebe-os, inclusive porque foi atraído por essa característica dela e sabe que outros homens podem sentir a mesma coisa – daí a possibilidade de sentir ciúme.

Feito esse aparte, voltemos às perguntas sobre o outro: "Até que ponto eu confio em que ela seja hábil para escapar das cantadas que vai receber? Quanto está comprometida comigo? Estamos satisfeitos um com o outro para saber que não caberá uma terceira pessoa na nossa relação? Ou está me faltando alguma coisa que me faz concentrar nela o desejo, que não reconheço conscientemente, de ter alguém?"

Por outro lado, e insisto também nesse ponto, as pessoas precisam aprender a conviver com a insegurança de perder, o que também significa aceitar as próprias limitações. Um homem, por exemplo, deve saber que existem homens melhores do que ele; uma mulher, que há outras mais interessantes e atraentes do que ela e que, em determinada circunstância, podem perder. Deve-se tomar cuidado, no entanto, para não cair no extremo de achar que todo mundo é superior, um sinal de que a auto-estima anda baixa. Cada um tem seu valor e suas qualidades. Mas é natural que uma pessoa, mesmo com confiança em si, sinta-se ameaçada diante de outra que possa superá-la. Isso é real e abre espaço para outras perguntas: "Por que o meu parceiro está comigo, o que o fez me escolher? O que ele encontrou e que estou oferecendo é de fato verdadeiro ou lhe ofereço um falso eu? E, se ele descobrir, vai embora na hora?"

Como nada é linear na vida, principalmente no que se refere às coisas da mente, pode ocorrer de um parceiro fazer deliberadamente um jogo de sedução e de ciúme com o outro. Nesse caso, o ciúme seria utilizado para provocar insegurança, como um artifício para prendê-lo. Trata-se, porém, de um recurso tolo, pois o ciúme gera tensão e acarreta brigas e ódio.

Perder, portanto, faz parte da vivência humana. Sabemos que a maioria das pessoas não está preparada para enfrentar essa verdade. Um dos caminhos que julgo proveitoso — embora pareça papo de derrotado — é encarar a perda como uma experiência de vida que nos ajuda a crescer. Nós sempre aprendemos com a experiência, e isso é inquestionável. Aliás, esse assunto me faz lembrar de uma atitude comum em muitos casais, que é esconder suas experiências amorosas anteriores, que enriqueceram sua vida e beneficiam o relacionamento atual, para não despertar o ciúme ou a insegurança no outro. Essas conversas não devem ser evitadas. Mas, dentro dessa desejada situação de diálogo aberto, também precisa haver um limite de adequação para a franqueza. Ninguém deve ficar descrevendo minúcias e particularidades do relacionamento anterior, revelar detalhes íntimos. É algo parecido com a idéia de desfrutar a liberdade, isto é, ser livre não quer dizer que a pessoa possa fazer tudo o que lhe der na cabeça.

Os filhos como desculpa

QUANDO TOCO NESSE TEMA, sempre me lembro do mito de Ícaro. Dédalo, seu pai, disse-lhe que havia preparado asas com penas de aves coladas com cera e que poderia voar à vontade entre o Sol e a água, mas que não se aproximasse do primeiro, porque a cera derreteria, nem da segunda, pois as penas ficariam molhadas. Ícaro atreveu-se a romper esse limite e se aproximou do sol — e deu no que deu.

As perguntas essenciais de cada um

Essa questão do diálogo e da franqueza à qual me referi também vale para fatos e circunstâncias do presente. Por exemplo: até onde é possível, numa relação, um parceiro dizer ao outro, sem que o mundo desabe, que achou outra pessoa atraente? Eu não saberia responder, mas posso dizer que um casal supostamente maduro iria discutir o problema e fazer um balanço da relação para achar uma resposta e reorientar sua rota. O sentimento de atração indica que o relacionamento não está satisfatório, dando margem para um "acidente de percurso". A pessoa carente estará predisposta a ser seduzida por alguém que possa, mesmo que na aparência, atender a seus anseios. Falta apenas a ocasião. Convém lembrar que essa atração também pode ser algo banal, sem nenhuma consistência: acha-se alguém bonito e atraente, e o assunto esgota-se aí. Não há necessidade de levá-lo para casa!

A manutenção de um relacionamento insatisfatório, sem que haja um empenho dos parceiros em melhorá-lo, coisa que é comum, tem como principal justificativa os filhos. Se isso é verdade, essa situação, por ironia, facilita o afloramento do ciúme. É que o casal sabe que está junto apenas por causa das crianças, de modo que a possibilidade de praticar a infidelidade é enorme. Também acredito que a união persista por conveniência social, não só pelos filhos. O casal sempre tem noção do problema, não há ingenuidade que permita ignorá-lo a esse ponto. O pior são as pessoas que não sabem que sabem e agem como se desconhecessem a situação. Daí se surpreendem quando descobrem a infidelidade.

Já que estamos falando de filhos, quero concluir este capítulo com um tema delicado: o ciúme do homem voltado contra

perguntas

As perguntas esseciais de cada um

os filhos. Em geral, o pai não se dá conta, mas fica enciumado com a dedicação e a atenção que a mulher passa a dispensar aos filhos. Se por um lado esse comportamento pode decorrer da imaturidade — para a qual eles precisam buscar ajuda psicológica *(afinal, mãe de quem ela é?!)* —, por outro, há mulheres que acabam dando dimensão exagerada ao papel de mãe. Tornam-se apenas *mães* e se esquecem de ser *mulheres e companheiras*, colocando o homem em segundo plano. O passo seguinte nesse processo é que, por se descuidarem de ser mulher, engordam, viram matronas e tornam-se até assexuadas na aparência. Nesse caso, como o marido não precisa de mãe, porque tem ou teve uma, começa a se incomodar. Vi vários casamentos chegarem ao fim por esse motivo.

º

A dor da traição já existia antes

6

O medo de perder o objeto do nosso amor traz na sua esteira o medo de ser traído e, naturalmente, o ciúme. Acredito, como já disse, que os homens, sem dúvida pela influência da sociedade machista em que vivemos, temem mais a infidelidade do que a perda, o que demonstra que seu ciúme tem um forte componente sexual. Isso não quer dizer que a dor seria menor se não fosse assim.

Por que dói tanto?
POR QUE A TRAIÇÃO FERE TANTO AS PESSOAS, homens e mulheres? As razões são amplas e complexas. O primeiro ponto é que ela representa o rompimento de um contrato feito entre os dois. Um rompimento traz frustração, algo sempre dolorido, e provoca angústias. Aliás, uma das principais marcas de uma separação é o sentimento de frustração que toma conta do casal.

O segundo ponto, e de profundidade bem maior, tem suas raízes no processo psicológico que faz parte do desenvolvimen-

A dor da traição já existia antes

to das pessoas. Vamos recuar para um período entre os 3 e os 5 anos na vida de uma criança. Nessa época, ela começa a perceber que não é o centro do mundo, que está deixando de ser o centro do pai e da mãe e, portanto, é passível de ser excluída. Essa sensação fica registrada de forma um tanto confusa, pouco elaborada na sua cabeça: "Eu fui excluído pelo meu pai, que tem a minha mãe; e pela minha mãe, que tem o meu pai". É o famoso complexo de Édipo, do qual Freud tanto falou. Como aquela época – o início do século XX – estava voltada para a sexualidade, Freud cunhou essa experiência da criança como "complexo de castração", uma sensação de amputação do "pintinho" dela. Na verdade, ele associou o complexo de castração ao temor de uma castração física de fato. Permito-me fazer, humildemente, uma observação: entendo que se trata de uma "castração existencial", ou seja, uma exclusão. Se eu tivesse a genialidade de Freud, rebatizaria esse processo de "complexo de exclusão".

Sigmund Freud dizia que, infelizmente, o homem carregaria esse complexo pelo resto da vida, sem encontrar uma solução. Penso que essa sensação de exclusão pode ser maior ou menor dependendo da forma como se lidou com ela no final da primeira infância. Mas a realidade é que, na vida adulta, no caso de uma traição, a pessoa vai reviver a antiga experiência de exclusão com reminiscências da dor profunda que sentiu: "Eu a(o) escolhi como objeto de amor e de afeto, dei-lhe valor e ela(ele) me traiu". É como se a pessoa recebesse uma martelada num lugar já machucado, num dedo já quebrado.

O crescimento do ciúme

A TRAIÇÃO NÃO É SOMENTE AQUILO QUE APARENTA, há uma enorme repercussão no nosso mundo inteiro. Aqui estamos falando de um fenômeno que Freud classificou de transferência. Vamos a outro exemplo para entender melhor. Por que alguém pode se desmontar todo com a bronca de um guarda de trânsito? Afinal de contas, é só um guarda, não é mesmo? Não, não é. A bronca o fez viver a mesma emoção dolorida sentida em outra situação da vida (certamente alguma experiência "traumática" com a autoridade paterna). Insisto: se alguém pisar no nosso pé machucado, vai doer mais. É por isso que, muitas vezes, sentimos bem mais do que o fato merecia. São dores somadas. Isso explica porque uma pessoa pode reagir com irritação excessiva a um episódio aparentemente menor e banal – ela faz um cavalo de batalha por se sentir em pleno combate.

O ciúme é algo que pode ir crescendo à medida que o grau de estabilidade emocional do ciumento vai se desintegrando. Por quê? Como eu disse, o ciúme é sinal de que alguma coisa não está indo bem na relação. Conforme esse conflito vai crescendo, o ciúme aumenta e pode tomar grandes proporções. Tenho uma cliente que está vivendo um momento delicado nesse sentido. Seu namorado é ciumento, quer controlar todos os seus movimentos. Quero abrir parênteses para dizer que nos primeiros momentos o ciúme cria uma situação ambígua: a pessoa "ciumada" gosta, pois sente que é uma demonstração de amor e que o outro está preocupado com ela. Habitualmente o "ciumado" se submete a esse sentimento; a relação evolui para o casamento e ele vai se sentir cada vez mais sufocado. Mas voltemos à minha

A dor da traição já existia antes

cliente. Um dia ela chegou em casa e recebeu o telefonema de uma amiga que mora quase em frente à sua casa, convidando-a a ir até lá, – um encontro rápido entre amigas e vizinhas. Ela havia dito ao namorado que naquela noite ficaria em casa para descansar; ele apareceu justamente durante sua curta ausência. Por isso, como todo ciumento, quis ensaiar um escândalo. Ela o interrompeu com as seguintes palavras: "Se é para fazer escândalo, pode ir embora. Eu ia descansar, ela me ligou e eu fui rapidamente à casa dela. Isso não quer dizer que eu não queira saber de você, que vou traí-lo".

Num primeiro momento, ela agiu adequadamente, soube demonstrar firmeza e clareza, apesar de essa conduta gerar conflitos. No meu entender, entretanto, vai ser muito difícil, para ela, "consertá-lo". Se a pessoa teve, desde a infância, um campo fértil para desenvolver o ciúme, vai tê-lo sempre. Nesse caso, o próximo passo dela seria despertar-lhe a consciência do seu ciúme, para ele se dar conta do problema, perceber sua insegurança. Como o casal assiste a muitos filmes nos fins de semana, sugeri a ela que vissem juntos *Ciúme – O inferno do amor possessivo*, do francês Claude Chabrol, que ela o alugasse assim como quem não quer nada. Pode ser que em algum momento esse ciumento tenha uma luz e se toque dos exageros do seu ciúme.

A pessoa ciumenta sofre muito. E quando vem procurar ajuda é porque sua vida está insuportável, tornou-se um verdadeiro inferno. Lembro-me de um cliente que tinha a fantasia de que sua namorada transava com todos os caminhoneiros que encontrasse pela frente. Eles eram do interior e ela, em função do trabalho, viajava diariamente de sua cidade para outra. Ha-

A dor da traição já existia antes

via também o episódio da infância em que ela fora violentada e um histórico de vários namorados anteriores. Esta era a queixa dele: "Ela não pode fazer isso comigo... Essas idéias passam pela minha cabeça e eu não consigo deixar de pensar nisso". Esse paciente tinha noção da sua fantasia e de que seus sentimentos não eram adequados à realidade. Qual havia sido o caminho desse ciúme? A extrema insegurança dele, a sensualidade da parceira que atraía os homens e os vários namoros do passado. Ela tinha sido, entre aspas, uma mulher de muitos homens, e ele baseava sua fantasia nesse passado, isto é, tornava-o presente — aliás, fenômeno psicológico muito comum.

O mecanismo de isolamento

SITUAÇÕES MAL ELABORADAS E MAL TRABALHADAS, embora tenham ocorrido no passado, continuam sendo uma vivência emocional presente, estão vivas e voltam a doer quando cutucadas. Já falamos desse assunto linhas atrás. Mas não falamos de outro fenômeno afim, chamado de "mecanismo de isolamento", que constitui um bom exemplo da complexidade com que o inconsciente e nossa mente funcionam. Embora seja um fenômeno difícil de explicar e de entender, vamos tentar. Trata-se de um mecanismo de defesa do ego para colocar as angústias e os conflitos na sua parte inconsciente, para não deixá-los chegar ao nível consciente, evitando o sofrimento. Temos um fato que gera um afeto, um sentimento. No inconsciente dá-se uma separação, isto é, o fato e o afeto a ele correspondente são separados, daí o nome do mecanismo. A pessoa então pode se lembrar do fato em si, que pode nada lhe representar, por não estar acompanhado do sentimento.

traição

A dor da traição já existia antes

Vamos supor que uma pessoa viu o pai morrer nos seus braços, após muito sofrimento. A extensão de sentimento pode não aparecer, ficou deslocada, isolada do fato. Assim permanecerá até se agregar a outro fato, uma barata, por exemplo. Pode ser que essa pessoa tenha um pavor terrível de barata. Um afeto se desloca e se aloca para outro fato porque é energia. Para acreditar nesse fenômeno, temos de aceitar a teoria do aparelho psíquico criada por Freud, que, entre outras coisas, fala de um sistema energético existente no cérebro. Essa energia flutuante está lá. E nós constatamos, no dia-a-dia, na psicopatologia do cotidiano, que é verdade.

Quero citar também outro cliente que me procurou por sofrer de ciúme em relação a um antigo namorado de sua companheira. É o que podemos chamar de "ciúme póstumo", pois o outro já pertence ao passado, à história. No entanto, para esse cliente a existência do outro, que sempre lhe vinha à mente, era insuportável. No desenrolar de sua psicoterapia, tornou-se claro que a imagem daquele "outro" era exatamente tudo aquilo que ele mesmo gostaria de ser e sabia não sê-lo. Mas isso não ocorria no plano real. O outro era apenas uma imagem internalizada de seu "ego ideal", aquele alguém oculto, que existe dentro de muitos de nós e foi criado em experiências infantis de comparação estabelecidas por nossa mãe, do tipo: "Olha, o fulaninho é melhor que você!"; "Você já reparou como a fulaninha se veste bem e você é tão desleixada?"; "Ah, como eu gostaria que você fosse igual ao seu avô!" Esse tipo de experiência, repetida e constante, cria um sentimento de fracasso e inferioridade em relação a um *rival* imaginário, aquele que é sempre bom e perfeito, aquele que nossa mãe queria que fôssemos.

Entre ratos e dólares

JÁ COMENTEI A RESPEITO DO SOFRIMENTO do ciumento. Vamos falar agora do "ciumado", a pessoa que é vítima do ciúme. Depois daquela fase em que confunde o ciúme com demonstração de amor e cuidados, ela começa a perceber o cerceamento da liberdade. A vivência é de verdadeira sufocação e pode chegar a manifestações psicossomáticas.

Na maioria das vezes, o paciente vem procurar ajuda psicológica mas não sabe que é vítima de um ciumento. Conheci um caso em que, antes, o paciente havia passado por um clínico geral devido à sua bronquite asmática; o médico constatou a origem psicossomática da doença e o encaminhou ao psiquiatra. À medida que a investigação foi evoluindo, percebeu-se que esse paciente tinha uma relação de subjugação com o outro.

Muitas vezes, examinando-se a história de pacientes nessa condição, descobre-se que eles viviam relações desse tipo anterior. Cabe a pergunta: por que escolher um parceiro para repetir uma experiência que já o fez sofrer? Respondo que se trata da famosa teoria freudiana da compulsão à repetição. Parece que tendemos a procurar aquilo que já conhecemos, mesmo que seja ruim. Isso não é estranho? A neurolingüística nos ensina que a compulsão à repetição é uma característica da mente humana que nos distingue dos animais. Estes aprendem com a experiência, mas o homem, não, pois, graças à sua capacidade de fantasiar, sempre acha que vai poder mudar.

No livro *Caçando príncipes e engolindo sapos*, de Maria Cristina Von Atzingen e Helena Perin Costa, há um exemplo esclarecedor em que se utiliza o recurso do labirinto: um rato aprende,

A dor da traição já existia antes

muito lentamente, o percurso para chegar à comida; porém, não volta lá após perceber que o alimento foi retirado. Já o homem chega facilmente até uma nota de cem dólares e, mesmo depois de esta ter sido removida, continua procurando-a, na expectativa de que, da próxima vez, ela esteja lá (esse tipo de comportamento aparece nitidamente no "jogador compulsivo" que, mesmo sabendo que não há a menor chance de ganhar da máquina ou do cassino, insiste em continuar jogando, pois um dia, uma vez, ganhou). Por ter criado uma cognição, um conceito, o homem parte em sua busca, tendendo a repetir, enfim, comportamentos estereotipados.

As pazes já não são feitas na cama

7

Inicio este capítulo com uma pergunta que sempre me fazem: o ciúme masculino é diferente do feminino? Existem várias descrições a respeito, mas a principal constatação, à qual já me referi de passagem, é que o ciúme masculino geralmente tem caráter sexual, enquanto o feminino tem características afetivas. O homem teme ser "corneado", e nessa postura estão implícitos a posse, a exclusividade, o tabu da virgindade e outras marcas da nossa cultura. Por seu lado, o ciúme da mulher está ligado ao medo de o homem se apaixonar por outra; um caso eventual não ameaça a relação do casal. Estamos falando do modelo clássico, pois, na verdade, ambos os sexos sentem ciúme nas duas situações, a sexual e a afetiva.

Mas quero me deter mais no foco masculino da questão, partindo de duas vertentes: a psicológica e a social. No caso da primeira, a psicológica, tomarei por base um ensinamento de Freud. De acordo com ele, todo ser humano, e o homem em particular, guarda um potencial homossexual. Na realidade, nos estudos que fez a respeito pelos idos de 1905, Freud afirmou com todas as palavras que o ciúme masculino é uma manifestação de homossexualidade. Ou seja: o homem projeta na mulher o seu desejo pela figura masculina, vê no desejo dela o seu próprio desejo.

Na vertente social, o ciúme sexual masculino teria outro motivo, ligado à paternidade e à hereditariedade, isto é, à possibilidade de que outro homem possa vir a ser o pai de quem ele considera seu filho. Trata-se de uma questão delicada e complicada, cuja extensão e freqüência eu não saberia avaliar. Há casos, é certo, em que a criança registrada oficialmente como filha do marido tem outro pai. Não posso dizer se essas circunstâncias tornam o ciúme masculino mais intenso, mas o fato é que os homens ficam profundamente ofendidos e magoados quando há envolvimento sexual de sua mulher com outro. Há uma antiga fala dos mais velhos segundo a qual "os filhos de minha filha meus netos serão, mas os de meus filhos..."

Tenho observado coisas interessantes sobre a visão masculina a respeito do ciúme e da mulher. Noto, por exemplo, particularmente no homem na faixa acima dos 35 anos, que, apesar de toda a revolução ocorrida, ainda persistem velhas idéias, como a de que existe a mulher para casar e a "para comer". Dou aulas de Psicologia Médica para alunos de Medicina da Universidade de São Paulo que estão ao redor dos 19 anos de idade e ouço constantemente depoimentos deste tipo: "Transo com todas as meninas, mas, se souber que minha irmã está fazendo isso, vou ficar muito bravo!" A idéia corrente ainda é de que a mulher deve ter todas as liberdades — mas a mulher dos outros. Outro dia mesmo um cliente meu fazia piada sobre o assunto. Dizia que tem uma filha de 20 anos e que estava triste, pois havia passado da condição de consumidor para a de fornecedor. Outro cliente, de quase 60 anos, não se conforma que suas filhas levem uma vida sexualmente livre. Concorda que seus filhos homens tenham e devam ser incentivados a ter uma vida sexual ativa, mas as meninas, não! Afinal, diz ele, "eu não quero que os outros façam com minhas filhas o que eu fiz com as filhas dos outros". Pode?

O jovem: retrocedendo?

NOTO TAMBÉM QUE A MANIFESTAÇÃO de ciúme anda menos acentuada na faixa que vai até os 30 anos; a juventude atual, porém, em torno dos 18, está recuperando valores e hábitos do passado. Está fumando mais, num momento em que o cigarro, aparentemente, vai caindo em desuso, pois os de 30 quase não fumam mais. Esse jovens ainda "ficam", como se diz dos relacionamentos superficiais, mas voltaram a procurar relações mais estáveis e são ciumentos – e nesse ponto o complexo de sentimentos tem conotações de propriedade. Parece-me que estão repetindo o comportamento dos jovens dos anos 1940 e 1950, quando havia uma boa dose de romantismo. Embora o façam de maneira um tanto pasteurizada, os valores das relações afetivas são bem fortes, havendo busca de relacionamentos mais densos.

É uma pena que essa geração tenha deficiências na sua cultura. Ela não sabe se expressar, suas conversas são monossilábicas, assim como o pessoal da geração dos 30 anos. Só que ela está aprendendo. É claro que estou me baseando numa fatia da população. Entretanto, essa garotada parece ter mais consistência do que seus pais. Ao mesmo tempo, eles também foram bombardeados pelos apelos de liberdade. Querem cultivar a própria vida, usufruir sua liberdade e, quando o outro pretende exercer uma relação de posse, não gostam. E querem a volta do romantismo em bases, bem entendido, que não incluam a propriedade.

Marcação cerrada

VOLTANDO AO NOSSO TEMA, gostaria de retomá-lo com outra pergunta: quando começa a se dar a reação do "ciumado" contra o ciúme? Depois de passar por uma teia de mentiras para fugir de confrontos, a vítima do ciúme, se quiser manter sua privacidade e auto-estima, vai ter de confrontar seu algoz. Vem-me à cabeça a situação clássica da mulher ciumenta e do marido "ciumado", existam ou não motivos para o ciúme. Ela vasculha os bolsos dele, confere os canhotos do talão de cheques, bisbilhota as chamadas recebidas no celular, arma atos de sabotagem, conscientes ou inconscientes. Por incrível que isso possa parecer, ainda fico sabendo de mulheres que organizam uma *blitz* no local de trabalho do marido: "Vim trazer o talão de cheques que você esqueceu" (e que ela havia tirado propositalmente do bolso dele). E, também por incrível que pareça, há homens que voltam para casa mais cedo do que o horário de costume para flagrar a mulher com outro. O processo vai se desenvolvendo e acaba por afetar a vida sexual do casal.

Vamos imaginar a seguinte situação: o marido é ciumento, já tem desconfiança da mulher, e ela, por razões várias, às vezes até incomodada pelo ciúme, não tem disponibilidade sexual para ele. Fatalmente as suspeitas dele vão crescer e se transfor-

As pazes já não são feitas na cama

mar numa bola-de-neve. Vamos imaginar outra situação, em que ela ou ele faz o que se chama de marcação cerrada, o famoso "homem a homem a quadra toda" – cerceamento obsessivo, interrogatórios, investigações: "Às 18h10 você saiu do escritório, portanto às 18h17 já deveria estar em casa..." Essa pressão gera um clima de instabilidade entre o casal que seguramente prejudica a harmonia afetiva e sexual. Como já disse, contudo, nada é linear em psicologia e o sexo pode acabar acontecendo, apesar desse quadro aflitivo.

Antigamente era muito comum citar o ditado popular segundo o qual "brigam o tempo todo, mas fazem as pazes na cama". Hoje em dia já não é assim, as coisas estão se alterando, pois a sexualidade está mais associada a sentimentos. Já é comum ouvir queixas e frases que eram ditas muito raramente tempos atrás: "Estou chateado, estressado e perdi a vontade". Ou: "Ela estava magoada e não quis transar comigo".

Vou aproveitar o tema da sexualidade para abordar um aspecto que me parece extremamente importante para compreender os mecanismos do ciúme. Vamos supor que ele ou ela confirme suas suspeitas: enfim, a infidelidade tão procurada é descoberta. (Vale ressaltar que o ciúme pode contribuir para que ela se concretize, visto que o cerceamento e as perseguições provocam o afastamento gradativo, a necessidade de confidências e, numa dessas oportunidades, pode aparecer alguém.) No momento em que a traição é comprovada, o ciúme deixa de existir. Pode ser substituído pelo sentimento de ódio, de ofensa, de indignação, mas não é mais ciúme. Por quê? Porque, insisto nisso, a marca do ciúme é a desconfiança; o ciumento procura algo que quer e, ao mesmo tempo, não quer encontrar. O ciúme cria e alimenta essa incerteza.

Portanto, o ciúme pode estragar a vida sexual e até destruir o relacionamento; chega-se a um grau de insuportabilidade em que a convivência se torna impossível.

○

Uma história da Barbie

8

Infelizmente, as vítimas do ciúme demoram para percebê-lo e para reagir contra o ciumento. Isso se dá por várias razões, e a principal é que elas são seduzidas pela idéia romântica de que o ciúme é uma demonstração de amor. Podem também colocá-lo em segundo plano, envolvidas pelo entusiasmo que caracteriza os primeiros tempos de uma relação. Podem, ainda, existir motivos indiretos, que são inconsistentes, na escolha de um parceiro ciumento. Por exemplo, há milhares de mulheres que, para fugir do assédio excessivo, real ou não, procuram um homem ciumento que tome posse delas e as proteja.

Combatendo o ciúme

A REALIDADE É QUE, COM O TEMPO, o processo do ciúme vai se expandindo até um ponto em que não há mais volta, ou seja, dá-se a falência da relação. Por isso é importante, até estratégico, eu diria, identificar o ciúme e procurar abortá-lo logo na fase inicial do relacionamento. Isso se faz abrindo o diálogo a respeito. Para tanto, devem-se fazer algumas perguntas essenciais ao parceiro: "Por que você está manifestando ciúme?"; "O que você acha que eu faço que o leva a sentir ciúme?" Devido à objetividade e à qualidade das perguntas, o outro tenderá a responder, abrindo caminho para a discussão do problema. Ou pode não fazer isso; nesse caso, a situação vai se complicar, porque, se não chegar a um consenso, o casal não tem chance de encontrar uma solução. O que vai acontecer, então? Ou o rompimento, ou a submissão de um dos lados, e isso não vai ser bom. O consenso sempre é difícil de ser encontrado, exige muito esforço, paciência e habilidade. Mas, no meu entender, sempre deve ser buscado.

A importância do consenso

PARA COMPROVAR QUE PRATICO aquilo que recomendo, vou contar uma experiência que tive com Guilherme, meu filho, quando ele estava com 5 anos, a respeito do consenso. Estávamos na Disney e havíamos acabado de assistir a um show da Barbie. Guilherme, todo entusiasmado, quis comprar a boneca. A mãe, cansada do exaustivo dia de turismo econômico, ficou brava na hora, *pois, além de achar que o menino sempre queria tudo que via, a boneca era cara e não era brinquedo para menino!* Surgiram atrito, choradeira, gritaria dentro da loja e, naturalmente, jogaram o problema para mim. Deixei de lado os componentes de informática cujos preços estava pesquisando e também a idéia de como faria para passar pela alfândega brasileira com um monitor de vinte polegadas debaixo do braço sem ninguém perceber e fui, bufando, falar com ele. Nesse momento, a situação estava incontrolável:

Uma história da Barbie

além da boneca, ele queria o carro da Barbie, o namorado da Barbie, a casa da Barbie, o barco da Barbie, as roupas da Barbie, a tia da Barbie – uma pilha de uns 2 mil dólares!

Respirei fundo, lembrei-me da responsabilidade de pai e do meu papel de terapeuta e procurei dar tempo para encontrar uma resposta o mais adequada possível para aquela situação. Separei tudo que ele havia escolhido e indaguei: "Você quer mesmo isso tudo, é importante para você?" Enquanto o questionava, perguntava a mim mesmo o que eu faria para me livrar do abacaxi. É claro que eu não queria gastar os 2 mil dólares, mas ao mesmo tempo sabia que Guilherme estava querendo firmar uma posição e que eu precisava reverter a situação. Pensei comigo: vou seguir o princípio da confirmação, isto é, confirmar o desejo dele. Positivamente, ele queria alguma coisa! Será que era a Barbie, outro brinquedo ou objeto, ou apenas atenção? Àquela altura Guilherme tinha parado de chorar, estava mais tranqüilo, já sem aquela atitude de brigar pelo que queria. E sempre acompanhando meus movimentos. Pedi ao rapaz da loja – que falava português, facilitando as coisas – para separar a pilha no balcão e dirigi-me ao Guilherme:

– Tudo bem, Gui. Já mandei separar tudo que você quer, viu? Você sabe que tudo isso custa muito caro, não? Você tem seu dinheiro na poupança, que até dá para pagar, mas você sabe que esse dinheiro é para um dia comprar um carro, poder viajar, dar de entrada em um apartamento...

– Mas eu quero...

– Você quer, mesmo tirando da poupança?

história
Uma história da Barbie

— Quero!!!

Eu percebi que o negócio era mesmo sério, porém insisti:

—Tá bom, filho, mas vamos dar mais uma volta pela loja pra ver se há alguma coisa mais legal que a Barbie?

Fomos andando e encontramos aquelas caixas de carrinhos de fabricação chinesa, com uns noventa carrinhos ao preço de 5 dólares. Guilherme ficou fascinado. Em seguida encontramos outra caixa igual, mas de motocicletas. E outra de bonequinhos articulados que cabiam nos carrinhos e nas motos. O resultado é que ele deixou a Barbie de lado, ficou satisfeitíssimo com aquele monte de brinquedos e eu gastei pouco mais de 10 dólares. Saímos da loja, mais de uma hora depois, ambos satisfeitos e exaustos!

Qual é o princípio e o saldo dessa história? É aceitar o desejo do outro, o que não significa aceitar sua concretização. Eu aceitei o desejo de Guilherme. Pude compreender que, por trás da Barbie, havia a vontade de ter alguma coisa e que também havia eclodido um movimento de rebeldia que ampliava a exigência dele. Se eu entrasse em oposição ao desejo dele, a reação cresceria, pois, quanto maior a repressão, maior a reação.

Você pode estar se perguntando: o que tem que ver o desejo do meu filho Guilherme com o ciúme, tema deste livro? Eu respondo que introduzi a questão justamente para ter a chance de falar mais uma vez sobre a complexidade do ciúme. Como disse, o ciúme tem como base um complexo de sentimentos, no qual a maneira inadequada de conduzir situações de desejo na infância pode ter papel importante. Na verdade, existem muitas singularidades e sutilezas em torno da manifestação de ciúme.

Estou me lembrando, por exemplo, de que um dos germes do ciúme no homem é a sensação de menos-valia que possa vir a ter, ou seja, um desempenho insatisfatório no terreno financeiro, sexual etc. A situação se agrava quando ele percebe que a mulher reivindica algo e ele não pode satisfazê-la: "Ela quer, eu não posso, ela vai procurar em outro lugar". E isso, aliás, pode se tornar realidade. Entretanto, muitas vezes, esse déficit pode ser apenas psicológico, existir somente dentro da cabeça dele, decorrente da cultura machista na qual vivemos e que cobra performances obrigatórias e perfeitas do homem, em particular na área sexual. A popularidade do Ricardão, aquele personagem sempre evocado pelo apresentador Fausto Silva como o terror dos maridos, é uma demonstração de como tal idéia está entranhada entre nós.

Medo de perder e desejo de ter

VIMOS QUE O CIÚME TEM UMA IRMÃ GÊMEA chamada inveja. Ambos são muito parecidos, embora, na essência, o primeiro seja o medo de perder, e a segunda, o desejo de ter. Estou fazendo esse esclarecimento porque, freqüentemente, a inveja é confundida com o ciúme. Um caso típico é o do homem cuja mulher tem sucesso profissional e financeiro, ou de um colega de trabalho em relação ao outro que foi promovido ou teve aumento. Não se trata de ciúme, o que pode parecer à primeira vista, e sim de inveja.

Veja como isto é interessante: culturalmente, para nós, é mais fácil e aceitável assumir nosso ciúme do que nossa inveja. Mas convém lembrar que o homem pode sentir ciúme e inveja pelo mesmo motivo. De acordo com Freud, o ciúme do homem em relação à mulher é a inveja de não estar no lugar dela, inclusive em relação a outro homem.

A esta altura, diante do ciúme, da competição e da inveja na relação a dois, você pode estar se perguntando: onde fica o amor? Ainda sobra espaço para o amor? Em princípio, devemos considerar que não existe uma definição exata, acabada, sobre o amor. Se entrarmos numa livraria, encontraremos uma enorme quantidade de títulos a respeito, o que demonstra, por um lado, como as pessoas estão desorientadas nas relações e, por outro, que não há um parâmetro ou uma clareza do que seja uma relação afetiva. Com isso, quero reafirmar que não há segurança em uma relação. No relacionamento entre um casal estão em jogo questões afetivas, econômicas, as carências, os medos, as complementaridades – é um arco vasto de variáveis. É preciso lembrar que cada ser humano é imprevisível, esconde muitas coisas, inclusive dele próprio. Tudo isso revela, e insisto nesse ponto, que as coisas não são lineares, elas decorrem de múltiplos fatores. Um fenômeno, além de biopsicossocial, pode ser multibiológico, multipsicológico e multissocial.

Lembro-me de que, no início de minha vida profissional, uma paciente me contou que havia tido uma experiência extraconjugal durante um cruzeiro com algumas amigas. Fiquei absolutamente chocado e parece que tive uma revelação naquele momento: quer dizer que as mulheres também traem, constatei, dentro da minha perspectiva masculina de ver o mundo. Estou recordando esse fato para reforçar a idéia de que não há segurança absoluta numa relação e de que as reações da mente são surpreendentes. Houve uma circunstância e ela cometeu a

infidelidade. Juntando tudo isso, podemos concluir que cada casal constrói (ou não) seu amor.

A projeção, de novo

O EXEMPLO DESSA MINHA CLIENTE é oportuno para nos remeter a um tormento que acomete as pessoas ciumentas. São as situações de viagem e de ausências que avolumam a desconfiança. Os aspectos que saltam à vista são a insegurança aflorada e os seus motivos. Parece-me que o ciumento deve responder algumas perguntas a si mesmo: em que medida a relação está estável para que o outro possa ficar uma semana, quinze dias, um mês, um semestre sem ter relacionamento sexual? Quanto a pessoa conhece das características do outro e até que ponto confia nelas?

É necessário não ver a situação de um único ângulo, sob o risco de cairmos naquela fábula dos cegos apalpando um elefante para ver como é o animal. Seria um questionamento em que se levaria em conta alguns fatores: "Tenho uma parceira, sei como ela é, conheço seus desejos e limitações, sei ou não da sua moral ou da sua integridade, sei de mim e da nossa relação". Todos esses elementos concorrem para a avaliação. E não devemos perder de vista, nunca, que cada caso é um caso. Não é porque fulano ou fulana fizeram (ou, o que é pior, "eu mesmo já fiz"), que ele ou ela vão fazer.

Há um detalhe interessante a ser destacado nesse quadro, que é o fenômeno da projeção, ou seja, a pessoa projeta a si própria no outro. Pode ser volúvel e pensar: "Eu paquero outras mulheres, elas acabam cedendo às minhas cantadas. Por que não aconteceria o mesmo com minha mulher?" (Deixe-me fazer uma

Uma história da Barbie

ressalva: neste caso, tecnicamente, trata-se da simultaneidade de dois mecanismos: a projeção e o deslocamento – tira-se daquela e traz-se para este.) Assim, ele pode projetar que a mulher agirá do seu modo ou será vítima de *cantadas*. Os mecanismos de projeção e deslocamento são inconsistentes, isto é, a pessoa não se dá conta de que está se espelhando no outro. É por isso que repito: cada caso é um caso.

o

Dez da noite. E toca o telefone para ela...

9

É muito raro que alguém venha a se tornar ciumento com o passar do tempo. Só conheço casos assim em que a infidelidade desencadeou o ciúme. Então a pessoa traída passa a ter ciúme porque perdeu a confiança no parceiro. Na maioria das vezes, a descoberta de uma traição é fatal para o relacionamento, porque o fato remete a sofrimentos psíquicos anteriores, ligados àquele fenômeno de exclusão na infância, do qual já falamos. A relação se transforma num vaso quebrado, o afeto em si se quebra. Na minha opinião, se o episódio foi superado, será por conveniência. Há quem diga que não, que é possível reconstruir a relação após essa ruptura. Sempre digo que a exceção confirma a regra! Em vários programas de TV, muitos dos quais participei analisando situações de ciúme, não foram incomuns temas de reconciliação após a constatação da infidelidade de um dos parceiros. Enfim, o ser humano é extraordinário em sua imprevisibilidade e multiplicidade,

Dez da noite. E toca o telefone para ela...

e toda tentativa de estabelecer uma regra universal para o comportamento humano tem uma grande chance de cair no mais absoluto ridículo.

Em busca de liberdade

A PREOCUPAÇÃO COM A INFIDELIDADE parece-me ser bem mais intensa no homem do que na mulher. Não tenho dados para comprovar, trata-se de uma percepção. A propósito, vou contar a história de um cliente que veio me procurar por causa do seu ciúme: tem 43 anos e é casado com uma moça de 23. Ele sentia ciúme dela em relação a outros homens e em relação a seus namorados anteriores. O que foi aparecendo durante sua terapia? O casal tem enorme afinidade sexual, só que ele é uma pessoa extremamente rígida, quase com traços obsessivos. Ela, ao contrário, é descontraída e livre, gosta de sair com as amigas e mantém com os ex-namorados um relacionamento amigável. Ele sofre desesperadamente com esse comportamento, embora ela já lhe tenha dito, para acalmá-lo, que não precisa ter medo, pois não tem a menor intenção de traí-lo.

Na minha maneira de ver e tentando interpretar os fatos com ele, cheguei à conclusão de que ele não consegue admitir nela a liberdade que ele mesmo não tem, preso a uma série de compromissos e obrigações e muitas vezes vítima da própria pusilanimidade, acabando por projetar na exigência de fidelidade sua angústia. Veja como é uma situação ambígua. Ele admira a liberdade que não pode desfrutar, por estar preso a vários compromissos: pagamento de pensão da ex-

Dez da noite. E toca o telefone para ela...

mulher, sustento da mãe, da irmã e da filha etc. Eu diria que, no fundo, ele tem inveja do jeito de ser dela. Não vi, como muita gente pode suspeitar, uma relação entre o ciúme e a diferença de idade entre os dois, fato que, aliás, pode ou não gerar ciúme.

Vou falar a respeito de um episódio que se deu comigo, porque minha mulher tem onze anos e meio menos que eu (ela gosta de dizer que são doze anos, mas deixa pra lá!) e aparenta menos, enquanto eu pareço ter mais. Tanto que, quando estamos andando na rua, as pessoas pensam que Guilherme é irmão dela. Bem, você pode imaginar que passei por situações constrangedoras. Numa ocasião, Cynthia, que é psicóloga e pintora, ganhou um prêmio; um dos jurados, vendo a minha alegria, veio cumprimentar-me "pela minha filha".

Um dia por semana, eu atendo no consultório que era dela (na época em que exercia exclusivamente a Psicologia), em cuja sala vizinha está instalado seu ateliê. Eram umas dez horas da noite, eu havia terminado de atender um grupo de terapia, já estava fechando o consultório a fim de ir para casa, quando tocou o telefone. Eu atendo. Era uma voz de moleque – e japonês (eu sei porque intuí isso). Iniciamos o diálogo.

– Pois não?
– Quero falar com a Cynthia.
– Ela não está no momento. Você quer deixar algum recado?
– E onde eu posso encontrá-la?

EDUARDO FERREIRA-SANTOS   73

Dez da noite. E toca o telefone para ela...

— Ligue amanhã, no horário em que a secretária estiver aqui. Você quer marcar uma consulta com ela?
— Não. Eu só queria conversar.
— Você foi indicado por alguém?
— Não. Conheci ela na rua. Que hora eu tenho de ligar?
— Se você quiser, pode deixar um recado comigo. Sou o marido dela...
Do outro lado, plaft, a pessoa bateu o telefone.
Vejamos os dados: conheceu-a na rua, ligou às dez da noite, procurando-a para conversar. Uma ponta de ciúme lançou sua seta negra, como diria Caetano Veloso, em meu coração. Mas... calma!
Cheguei em casa tranqüilamente e fomos jantar. No meio do jantar, entre um e outro assunto de "como foi seu dia", "e com as crianças, tudo bem?", virei-me para ela e perguntei:
— Você conheceu alguém na rua ultimamente a quem tenha dado o telefone do consultório?
Ela olhou para mim com certa surpresa, pensou um pouco e calmamente respondeu:
— Ah, conheci hoje um japonesinho de uma dessas campanhas de *resorts*. Ele me abordou em uma loja e disse que ia me telefonar para uma promoção especial. Por quê?
A situação se desanuviou para mim. Pode-se dizer que "engoli e digeri" a história. Afinal, sua postura e seu comportamento habitual sempre me garantiram a integridade da nossa relação, mas é claro que me senti enciumado, pois naquele momento havia uma suposta ameaça, pelo menos uma suspeita. Eu poderia ter lhe comunicado que alguém havia telefonado e pronto. Fui,

Dez da noite. E toca o telefone para ela...

contudo, por outro caminho, meio "sherloqueano", o caminho do ciumento: investigar, ver se o outro cai em contradição, procurar desmascará-lo.

Outro exemplo pessoal de ciúme de que me lembro ocorreu por parte dela. Estávamos num congresso de Psiquiatria e encontrei uma colega e amiga que não via fazia muitos anos. Ela me abraçou, digamos assim, efusivamente, e permaneceu abraçada, com o braço em volta do meu pescoço. Isso é bastante comum em nosso meio, visto que na comunidade de psicodrama o pessoal é muito dado a abraços calorosos. Nesse momento, Cynthia, que estava assistindo a uma conferência em outra sala, chegou e viu a moça pendurada em mim. Entrou no meio de nós dois para mostrar quem era e ainda brigou comigo depois. Pode?

Diferentes reações, diferentes idades

ESSAS SITUAÇÕES COMPROVAM AQUILO a que me referi logo no começo deste livro acerca do ciúme e da personalidade. O sentimento é o mesmo, mas a resposta, a reação, é diferente em cada pessoa. Algumas agem mais estrondosamente; outras, com agressividade; outras, de forma mais ponderada; há as que "engolem" o sentimento e passam a nutrir desconfianças insuportáveis que as levam a comportamentos como vasculhar os pertences do companheiro...

Voltando à questão da idade, há duas formas de encarar essa diferença entre casais. A primeira é que pode aparecer um Rambo qualquer ou uma Mulher Maravilha safada e carregar o parceiro mais novo. Entretanto, posso raciocinar as-

telefone

Dez da noite. E toca o telefone para ela...

sim: "Se eu fui o escolhido, é porque tenho qualidades que superam as do Rambo e seu abdome de 'tanquinho', e sei que ela aprecia minhas qualidades". E deixar rolar. A possibilidade existe, é inegável, a chance é quase a mesma de ser assaltado em alguma esquina de São Paulo ou do Rio de Janeiro. A segunda forma é transformar a situação num cavalo de batalha e viver "esperando" o acontecimento. Existem pessoas que transformam o *risco* em *ameaça*, isto é, vivem assustadas como se o "inimigo", seja um ladrão, seja "a outra", já fizesse parte de sua vida.

Essa questão da diferença de idade puxa outro assunto que já se tornou um mito: o homem maduro que troca a mulher por outra mais jovem. Isso nos faz pressupor que na mulher de 40 anos poderia aflorar um ciúme peculiar devido a essa pressão cultural. Paralelamente a esse fenômeno, há outro quadro interessante: o de mulheres mais jovens procurando parceiros mais velhos. Já ouvi várias explicações a respeito, como a da clássica busca de segurança na pessoa mais velha. O que me chamou a atenção foi um artigo sobre a afinidade sexual entre esse tipo de casal. Na moça mais jovem, a sexualidade é lenta, coincidindo mais ou menos com o ritmo do homem maduro, de modo que interagem melhor para alcançar o prazer. Do mesmo modo, haveria uma conjuminância entre a voluptuosidade sexual do rapaz jovem com o ritmo mais apressado de uma mulher madura. Não sei se isso é verdadeiro, mas já foi publicado um estudo realizado nos Estados Unidos a esse respeito.

O problema de idade ainda remete a outra questão, ligada

Dez da noite. E toca o telefone para ela...

à velhice. Nessa fase, em virtude de maior dependência de um parceiro em relação ao outro, o ciúme também pode se manifestar. Não tenho dados sobre isso, mas posso dizer que após o lançamento de medicações contra a disfunção erétil as coisas estão mudando e um debate maior está se abrindo.

Um cliente veio me consultar sobre a conveniência ou não de tomar uma dessas medicações. Ele tem 70 anos e sua mulher, 68. Ele sentiu que sua libido havia diminuído, já havia inclusive ido ao urologista. Fizemos uma discussão com o seguinte foco: para que tomar o remédio, qual era o motivo, o sexo estava fazendo falta? Ele respondeu que não, que não tinha desejo, mas estava preocupado com a possibilidade de sua mulher ainda ter. Perguntei-lhe se já havia conversado com ela sobre isso, e ele, algo surpreso, respondeu que não. "Pois então converse e depois a gente decide." Na sessão seguinte ele contou que estava duplamente surpreso: primeiro, por causa da sensação estranha de não ter lhe ocorrido indagar a esposa a respeito, o que lhe pareceu óbvio depois que falamos nisso, e, segundo, pela resposta dada por ela. Ela disse que havia coisas mais importantes entre eles – estão casados há quase cinqüenta anos – e que já não estavam mais na idade de ficar subindo pelas paredes, que seu desejo sexual também estava limitado. Notei que a conversa esclarecedora tinha sido muito boa para ele, e desse episódio retirei um ensinamento. Embora preocupado com a mulher, meu cliente via a sexualidade como algo de um só parceiro. A sexualidade ocorre em uma relação, ela é relacional, mas é também individual. Quando ele a trouxe para a relação a dois, a situação mudou. Resultado: decidiu não tomar

Dez da noite. E toca o telefone para ela...

o tal do remédio e voltou a ter suas relações sexuais eventuais e satisfatórias.

Para encerrar este capítulo, vamos a outra dúvida: o ciúme entre jovens seria maior do que entre pessoas acima dos 35 anos? Talvez a pergunta esteja embutindo certa ênfase na relação entre passionalidade e racionalidade, que pode vir com a passagem dos anos. É claro que a idade pode trazer a razão, mas não nesse nível. Não acho que um jovem, movido pelo ciúme, vai sair por aí dando "porradas" e que um velho não faça a mesma coisa por ter senso de ridículo ou por condicionamento cultural. Acredito, como já afirmei várias vezes, que o ciúme esteja ligado à estrutura da personalidade, independentemente de faixa etária.

Podemos aceitar que um ciumento lide melhor com o ciúme na idade adulta do que na juventude; dizer, porém, que os jovens são mais ciumentos do que os adultos, não. Vamos lembrar que as coisas não são lineares. Existem muitos jovens razoáveis e muitos velhos irracionais, com pouca capacidade de elaborar sentimentos. Talvez seja uma questão de *maturidade emocional*, algo nem sempre associado à idade cronológica. Há muito jovem maduro e muito quarentão emocionalmente "mala"!

Quanto à passionalidade, existe um aparato cultural para favorecê-la. Nós, latinos, por exemplo, somos passionais; anglo-saxões e orientais, não. Essa diferença, como já foi visto, reflete-se na maneira de cada povo encarar o ciúme. Num estudo sobre ciúme entre jovens norte-americanos — infelizmente nada parecido foi feito por aqui —, ficou comprovado que eles o abominam, têm vergonha de senti-lo; o "ciumado" sofre de grande angústia e despreza o ciumento; nos Estados

Dez da noite. E toca o telefone para ela...

Unidos, ser ciumento é um fator de exclusão na hora de escolher um parceiro.

No próximo capítulo vamos ver quais e como são os tipos de ciumento.

o

De perto, ninguém é normal

10

O amor, como sabemos, é um sentimento altruísta que pede zelo e atenção para ser cultivado e mantido. O ciúme, pelo contrário, é um complexo de sentimentos, relembro, egoísta, voltado para a própria pessoa, para seus interesses e fantasias. O primeiro grau do ciúme é aquele que ocorre eventualmente, em determinadas circunstâncias, e desaparece depois que a ocasião ameaçadora passou. É uma manifestação bastante comum, que considero dentro da faixa de normalidade. Além desse limite, no entanto, começamos a entrar num terreno patológico. Digo patológico porque se situa no nível do transtorno emocional, como é chamada hoje a neurose.

Neurose e psicose

OS TIPOS CIUMENTOS SE COMPORTAM segundo os modelos clássicos de neurose. Existe, por exemplo, o ciumento obsessivo-compulsivo. É aquele que tem desconfiança permanente, que faz vigilância, que cria armadilhas para confirmar suas suspeitas. Uma cliente minha, muito inteligente, vive vigiando o namorado. Por causa disso, ele troca o código de acesso ao telefone celular toda semana e ela não demora dois dias para descobrir o novo. E justifica sua habilidade: "Ele não vai pôr um código que não consiga lembrar. Então eu faço combinações com o número do prédio, do andar, da data de nascimento dele, da mãe dele, do número do RG..." Tenho um amigo cuja mulher é, igualmente, obsessivo-compulsiva. Quando ele tem de colocar o telefone de alguma amiga ou colega (às vezes, de uma paquera, mesmo) na agenda, escreve o sobrenome delas e coloca um "dra." ou "sra." na frente.

Existe também o ciumento histérico, conhecido pelo comportamento espalhafatoso: grita, briga, cria caso com o par, dá show. Sua principal característica é o medo de ser traído. Por isso, tenta criar todos os mecanismos possíveis de prevenção para que isso não aconteça. É o típico comportamento fóbico que procura evitar qualquer situação de risco. O fóbico de elevador, por exemplo, prefere subir muitos andares de escada a enfrentar um elevador; o de rato ou barata nunca vai entrar num lugar sujo. O fóbico de ciúme quer estar sempre perto da outra pessoa para evitar circunstâncias em que possa ser traído ou abandonado. Recorre aos mais variados pretextos, arma situações que deixam o outro sem saída: "Você vai sair? Então vou com você, não quero ficar sozinho. Tem algum problema se eu for?"

Desses dois tipos de ciúme neurótico, o mais comum é o obsessivo. Mas o ciumento patológico de fato é a pessoa *psicótica*, que se encontra num outro patamar, pois não só desconfia como também tem a *certeza* de que está sendo traída pelo parceiro ou que vai ser abandonada por ele. Perde a noção da realidade. Aqui é bom distingui-la da ciumenta neurótica, que pensa assim: "O canhoto do talão de cheque está riscado, está escrito posto de gasolina. Pode ser que embaixo estivesse escrito motel. Mas ele não ia escrever motel..." A psicótica assegura: "A prova definitiva é que ele riscou o canhoto do talão". É a chamada "síndrome de Otelo", a que já fiz referência.

Muitas vezes me perguntam se um ciumento neurótico pode se tornar psicótico. Tanto no neurótico obsessivo-compulsivo quanto no psicótico a criação de rituais e de pensamento mágico é um passo na direção do delírio. E, na verdade, a qualidade do delírio deles é diferente. O psicótico simplesmente sofre a perda da crítica. Nesse processo, perde a noção do que seja uma hipótese e do que possa ser verdade. Alguns podem ter um desenvolvimento paranóide ciumento. Isso significa que o processo de desconfiança vai num crescendo.

O personagem Paul, do filme de Claude Chabrol a quem já fiz menção anteriormente, é um exemplo perfeito. Ele começa a ter pequenas desconfianças que vão se expandindo até chegar à certeza de que está sendo mesmo traído por Neli, sua linda, descontraída e alegre mulher. Para ele, essa traição se dá não com um parceiro, mas com todos os hóspedes do seu hotel, e até com o médico da cidade que ela procura para ajudá-la na crise de seu marido. Em certo momento do filme, fica subentendido que ele se mataria ou a mataria. Esse é

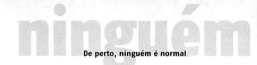

um desenvolvimento paranóide, havendo casos em que pode ocorrer em uma semana ou quinze dias. Dá-se uma ruptura de personalidade, como acontece na esquizofrenia ou na psicose alcoólica: a pessoa desenvolve um quadro delirante com perda total da crítica e parte para a agressividade, que pode acabar em suicídio ou em homicídio. Essa situação, contudo, nada tem que ver com o sujeito que flagra a mulher com outro e mata "em defesa da honra", agindo sob violenta emoção, como se diz no jargão jurídico, embora, pelo novo Código Penal em vigor, isto não seja considerado um "atenuante" do delito e sim, muitas vezes, um "agravante". No nosso caso, o ciumento psicótico mata apenas por suposição. Quero lembrar que o neurótico obsessivo-compulsivo também pode cometer atos de grave violência e até matar, embora não tenha intenção. Foi o que ocorreu com um rapaz que atirou na janela da namorada para assustá-la e a atingiu do outro lado. Tanto o ciumento histérico quanto o obsessivo-compulsivo sofrem muito; o ciúme do segundo, porém, é mais dolorido.

Segurança se transmite

VAMOS RETOMAR UM ASSUNTO SOBRE o qual falamos brevemente, que é o ciúme provocado. É a pessoa que estabelece uma margem de insegurança na relação, não oferecendo ao parceiro a segurança de que saberá lidar com abordagens ou rechaçá-las. E, no caso daquele tipo de pessoa assediada, será pior. Por outro lado, tive uma cliente, atriz de teatro e televisão, muito bonita e requisitada, que dava absoluta segurança ao companheiro. Em relações que tenham esse viés, estabeleço a seguinte reflexão: tudo vai depender do ciumento, de quem gera ciúme e da consolidação da relação entre eles. Gosto de repetir que ninguém é louco sozinho; um inicia e desenvolve a "loucura" porque o outro aceita.

Vou voltar à história daquela cliente que está confrontando o namorado ciumento (veja no Capítulo 6). Por enquanto ela está ganhando, mas tenho dúvidas se ela manterá sua posição caso se veja ameaçada de perdê-lo, caso ele diga que vai embora se ela não se submeter ao seu controle. Nessa questão, temos ainda as pessoas que provocam o ciúme, embora não traiam nem tenham intenção de trair o parceiro.

A primeira explicação para esse comportamento é o mito popular de que uma pitada de ciúme é boa e até necessária numa relação conjugal. No meu entender, é uma forma medíocre e equivocada de avaliar o afeto do outro. Por que medir o grau de ciúme e não o grau de amor, que pode ser percebido nas atitudes de zelo, de atenção, de afetividade? A outra explicação, sustentada pelo estudo das relações interpessoais, é a existência de competição entre os casais. Um dos parceiros percebe que o ciúme desestabiliza o outro e utiliza a provocação como instrumento de dominação. Esse recurso também poderia ter um componente de sadismo, uma vez que a intenção é apenas gerar sofrimento no outro. Como sabemos, não há sádico se não houver o masoquista.

O que estou querendo dizer é que muitas vezes existem contratos secretos nos casamentos, baseados em relações sadomasoquistas, dominador–dominado — enfim, coisas que muita gente pode considerar perversão ou algo próximo disso. Já disse Caetano Veloso que, de perto, ninguém é normal.

Esse problema evoca a questão da liberdade íntima que deve existir num relacionamento a dois. Não há liberdade absoluta – ela própria acaba impondo um limite. Para mim, a permissividade na vida sexual vai até o limite do desejo e do respeito ao outro, com vistas a ser prazerosa para os dois. Do contrário, poderíamos chegar àquela situação do filme *O império dos sentidos*, em que a mulher acaba decepando o pênis do homem. Se a fronteira do desejo e do respeito for rompida, permite-se uma concessão que, em princípio, remete à submissão, e subjugar também é exercer poder.

Deixe-me trazer à tona uma questão delicada, que é a prática do sexo anal entre o casal. Não é algo natural e muitas mulheres não gostam, embora existam aquelas cuja sexualidade é altamente desenvolvida e que obtêm muito prazer. O sexo anal tem profunda relação com o problema da submissão em si; tem o poder de subjugar o outro. Já atendi a clientes homossexuais e alguns deles, mais à antiga, vamos dizer assim, afirmavam: "Nunca sou penetrado, eu penetro". Eu via nessa dinâmica um certo ódio pelo homem, algo destrutivo, um prazer movido pela destruição. Há mulheres que não gostam do sexo anal, mas acabam se submetendo e sofrem. (Quero esclarecer que o sexo anal não é uma patologia.)

Vale lembrar que, se alguém faz uma concessão para não perder, poderá ou terá de fazer outras no futuro. Não devemos esquecer, contudo, que essa pessoa, um dia, também poderá cobrar com juros e correção monetária aquilo que cedeu. E certamente cobrará.

Neste capítulo conversamos sobre os tipos de ciumento. No próximo, falaremos sobre os tipos de "ciumado".

o

Com o lobo mau não tinha papo

11

O termo "ciumado", como já foi explicado, designa a vítima do ciúme. São dois os tipos de "ciumado": aquele que provoca o ciúme, cria situações e até pode se comprazer com isso, e o que procura ser discreto, evitando inclusive ocasiões que o exponham publicamente. Essa atitude produz limitações na sua vida, pois ele pensa duas vezes antes de ir a algum lugar e na maioria das vezes não vai. Tive um cliente assim. Sua mulher armava escândalos freqüentes, tanto que ele me dizia: "Ou vou sozinho a alguma reunião social, ou então não vou".

Há "ciumados" que passam a inventar histórias para poder fugir do ciumento e ter um pouco de liberdade, mas aí existe o perigo de se enredar numa teia de mentiras, tornar-se cúmplice da "loucura" do outro e ainda enfrentar reações imprevisíveis, conforme as características de personalidade do parceiro. O fato é que ambos os tipos de "ciumado" sofrem, e é o caso de perguntar como permitiram que as coisas chegassem a esse ponto.

Impondo limites

VOLTO A FALAR DAQUELES CONTRATOS SECRETOS que existem num casamento e da necessidade de manter a relação dentro dos limites do diálogo. Nesse sentido, sempre sugiro aos meus clientes que façam, mesmo em tom de brincadeira, um contrato por escrito com seu parceiro, no qual sejam explicitadas suas expectativas relativas à relação – "O que eu espero do relacionamento com você" –, e o apresentem ao outro, que o aceitará ou não. O importante é o outro perceber o significado da iniciativa, pois volto à minha frase-padrão: *o ciúme é um sinal de alerta sobre as condições da relação*. Se a pessoa ciumenta tiver essa percepção, poderá procurar ajuda ou uma saída por conta própria, pois não tem ciúme específico daquele parceiro, e sim de A, B ou C, da pessoa com quem estiver se relacionando. Em todo caso, o "ciumado" estará impondo um limite ao ciúme do outro.

Tenho um exemplo bem-sucedido dessa imposição de limite: uma cliente que vigiava ininterruptamente seu marido. Certo dia, para espanto dela, ele ficou "desaparecido" por duas horas. Aonde ele foi, o que aconteceu? Ela examinou o talão de cheques, havia um canhoto com rasura. Perguntou o que era e ele respondeu que havia ido comer coxinhas, mas o valor era alto demais para coxinhas. No momento seguinte estava armado o barraco. Então o marido impôs o limite da seguinte forma: "Estou muito bem e feliz com nosso casamento, você é uma pessoa muito importante para mim e estou com você porque quero. Gosto de você, quero estar e ficar com você, mas já não dá para viver com você desconfiando o tempo todo de mim". Ela se deu conta de que ele estava estabelecendo um limite e que havia alguma coisa de errado na sua conduta. Por isso, nunca mais tocou no assunto e foi em busca de ajuda profissional para procurar as bases de seu comportamento ciumento.

A imposição de limites é um caminho para o "ciumado" se resguardar e proteger a relação, se essa for sua vontade. Entretanto, o primeiro passo nessa trajetória é constatar concretamente que existe uma situação de ciúme, percebida quando o ciumento começa a fazer, de maneira metódica, interrogatórios nos quais, na verdade, ele não quer buscar respostas, e sim encostar o outro na parede. O que fazer então? Não entrar na conversa do lobo e do cordeiro da conhecida fábula. O lobo mau queria devorar o cordeirinho e, para tanto, passou a criar os pretextos mais estapafúrdios: "Se não foi você que turvou a água, foi o seu avô". Qualquer argumento contrário seria inútil, pois o lobo estava obsessivamente fixado no seu propósito.

Uma conversa de bate-rebate não leva a lugar algum. Minha sugestão é que, num diálogo dessa natureza, o "ciumado" passe a se comunicar sobre a comunicação, aquilo que se chama "metacomunicar": "Vamos continuar nessa conversa. Mas deixe-me entender por que você está me perguntando isso: o que há por trás da sua pergunta? O que, na verdade, você está me perguntando?" Ou ainda: "De fato, eu me atrasei por dez minutos. Mas por que você está me perguntando nesse tom?" Dessa forma, de algum jeito o "ciumado" sai da inútil conversa de loucos. Dependendo da gravidade e da intensidade da sua "loucura", o ciumento pode aceitar ou não um diálogo assim; contudo, de alguma maneira, ele vai refletir sobre o assunto. É claro que essa conduta pode levar a um confronto e abalar ou dar fim à relação. Se o mal for cortado, porém, então será possível uma convivência satisfatória.

Sem conversa não há solução

PELO MENOS NA EXPERIÊNCIA DO MEU TRABALHO, percebo que as pessoas estão fazendo "contratos", como aquele que propus. E referentes não só à questão do ciúme, mas à relação como um todo. Discutem o que é válido e o que não é, o que é lícito e o que não é. É importante detectar os problemas e estabelecer a prática do diálogo e do questionamento numa fase precoce do relacionamento. Parece que, em geral, as pessoas têm dificuldade de agir desse modo. Não se trata de dar coices ou cuspir na face do outro, mas apenas de conversar em busca do entendimento. Se a pessoa parte para um relacionamento no qual não é possível conversar sobre dificuldades, as coisas boas e ruins, os projetos e as frustrações da vida a dois, qual é a razão de estar se relacionando?

Outro dia recebi um e-mail de um estudante de Medicina de Santa Catarina que dizia exatamente assim:

"Tenho 20 anos e estou passando por um problema no meu relacionamento justamente por causa do meu ciúme. A minha namorada é uma garota muito bonita e independente, mora sozinha e tem muitas amigas e amigos. Ambos estudamos na mesma faculdade e essas minhas 'crises' têm contribuído em muito para o fim do nosso namoro. Para piorar ainda mais a situação, ela fuma e eu tenho ojeriza a cigarro, fato que muitas vezes contribuiu para nossas brigas. O que está acontecendo é que eu acho que ela enjoou de mim, mas não consigo me adaptar a essa nova situação sem ela. O que é que eu posso fazer para reconquistá-la ou me adaptar a isso tudo?"

Eu lhe respondi assim: "Infelizmente, meu caro, você deve ser muito chato com ela. Penso que você não gosta dela do jeito que ela é, mas porque é bonita e atraente. Você pretende que ela seja do jeito que você quer. Enquanto você continuar querendo transformar as pessoas naquilo que deseja, vai ser realmente muito infeliz. Ela foi feliz e saudável ao terminar a relação, pois viu que seria impossível. Ela é solta e independente e você queria cerceá-la. Pergunto: o que fez você gostar de uma pessoa assim? Não será porque você não tem aquela liberdade dentro de você? Algo tem de ser mudado dentro de você, você não acha?"

Ele respondeu laconicamente, mas com um "vou lembrar do que você disse", que acho que, de fato, o mobilizou. Se ele reverá posição, não sei; um passo foi dado, porém.

Suponhamos, no entanto, que esses dois tivessem se casado e consolidado a relação dentro desse quadro de ciúme. Seria muito difícil reverter a evolução dessa situação e também muito difícil sair dela, em função do caráter de obsessividade do ciumento. Um bom exemplo é o filme *Atração fatal*. O relacionamento extraconjugal começa como se fosse uma brincadeira, para depois se transformar numa fita de terror. O meu conselho é: não entre numa relação dessa natureza, pois é melhor prevenir do que remediar. Como eu já disse várias vezes, é possível perceber a patologia no início do relacionamento. Quando não, é porque a pessoa se recusa a ver; afinal de contas, a manifestação do ciúme parece algo tão pequeno se comparada com as expectativas e perspectivas que o novo relacionamento está abrindo! A comparação que faço é de uma pessoa que está comprando um carro sem freio. Apesar disso, é um carro tão bonito, último tipo, com ar-condicionado, direção hidráulica... O vendedor diz que o carro não tem freio, mas o comprador não escuta a advertência; houve apenas o que lhe interessa: o ar-condicionado, a pintura metálica, a garantia por dois anos. Então, em algum momento ele vai bater. Ele foi alertado quanto a isso, mas simplesmente selecionou aquilo que queria ouvir.

Isso me faz lembrar uma experiência com outro cliente, cujo ciúme estava chegando a um limite de intervenção. Ele chegou a me dizer que estava sofrendo muito, que pensava em matar a namorada e depois se suicidar. Mais tarde, falando com ela por telefone, alertei-a de que estava correndo risco de vida. Ela, que fazia seu jogo de sedução baseada na insegurança do parceiro, deu-se conta do risco de sua "brincadeira" e, adequadamente, afastou-se dele. Ninguém morreu, graças a Deus!

Crise econômica e insegurança

QUERO TAMBÉM FALAR DE UM ASSUNTO ATUAL e interessante, que é a crise econômica do país – e, em conseqüência, o desemprego e a perda do poder aquisitivo – e seu papel no afloramento do germe do ciúme que estava escondido. De fato, existem situações, e essa é uma delas, potencialmente críticas. Os americanos, que são mestres em classificar tudo, chamam-nas de "obstáculos desencadeadores da crise". À medida que a pessoa entra num grau elevado de tensão, acaba provocando uma mistura entre o mundo interno e o externo, entre a fantasia e a realidade. Ainda permanece um grau de crítica, mas o mundo interno predomina.

Então, se a pessoa tem um histórico de insegurança, medos e ciúme, no momento em que está abalada e desestabilizada, essas coisas podem aflorar. Se estiver excluída do mercado financeiro e do mercado de trabalho, vai direcionar tudo para a relação afetiva. De fato, a pessoa foi excluída, e agora tem medo de ser excluída da relação.

Já tratei em meu consultório de um casal extremamente ligado, bem afetivamente, cuja mulher teve uma relação extraconjugal quando o marido entrou em crise profissional, coisa que não havia ocorrido em dez anos de casamento. E o caso foi com um antigo namorado que se havia tornado um sujeito muito bem-sucedido. Quando o marido "enfraqueceu", ela teve necessidade de ter um parceiro que fosse um grande protetor para trazer força à sua vida. Sentiu-se livre para o relacionamento extraconjugal, ainda que racionalmente se culpasse disso. Embora paradoxais, essas coisas acontecem.

Existem vários eixos que sustentam uma relação afetiva. Um desajuste econômico pode levar a uma crise que vai desencadear uma série de outras, desorganizando o sistema familiar. Quero insistir que não é a crise econômica o motor principal. Tudo, repito, tem múltiplos fatores. O que mantém uma relação é a satisfação, essa é a sua essência, embora ela também possa ser mantida, e já conversamos a respeito, por conveniência social, religiosa etc. – uma pseudo-estabilidade. Insisto neste ponto: uma relação não é permanente, não há segurança absoluta nela. Uma reportagem de capa da revista *Veja* de 11 de agosto de 1999 abordou esse aspecto: nunca se casou tanto no Brasil, mas nunca se divorciou tanto também. Mas, embora haja tanta incerteza e insatisfações, parece que principalmente as mulheres ainda estão procurando o "príncipe encantado", visando aquele casamento tão propagado nos comerciais de margarina!

As pessoas estão tentando uma segunda ou terceira vez. Acreditam, como eu acredito, naquilo que Vinicius de Moraes escreveu: "Que [o amor] seja infinito enquanto dure". Porém, com a licença do poeta, eu faria um arranjo nesse verso. Interpretaria a infinitude não segundo a perspectiva do tempo, mas segundo sua profundidade: que o amor seja profundo enquanto dure. Uma relação profunda e eterna pode acontecer, apesar de rara. Normalmente tende a ser eterna e superficial. Parece-me que, quanto mais superficial, mais eterna será. A escritora norte-americana Erica Jong, em seu livro *Medo de voar*, afirma claramente que as relações baseadas em interesses são muito mais difíceis de romper do que as baseadas no amor. Mas valem a pena?

º

O ciúme no seio da família

12

Este capítulo é dedicado ao ciúme em família, começando pelo casal. O casamento está consolidado, os filhos já nasceram, o ciúme entre os parceiros anda muito pesado e eles não sabem direito o que fazer, embora saibam que não podem continuar desse jeito. Minha sugestão, em primeiro lugar, é que não fujam da situação, fingindo que nada está acontecendo; ou seja, conversem, questionem.

Volto a dizer, porém, que não se trata de armar uma discussão direta, e sim de "metacomunicar", denunciando o ciúme: "O seu ciúme é pertinente?"; "O que eu faço para lhe provocar ciúme?"; "Às vezes eu sou mais livre e solto, mas isso não significa traição". Como já alertei, as atitudes do outro, mesmo sem intenção, podem ser interpretadas como disposição para trair. Tenho um cliente que sofre tremendamente com o modo de ser de sua mulher. Apesar de não ser bonita, ela é extremamente provocante sem se dar conta disso. Tem o diabo

inconsciente no corpo. No início, eu achei até estranho, pois seria mais natural que ela fosse ciumenta: o marido é um homem bonito, muito bem apessoado e bem posicionado na vida. E é ele que morre de ciúme.

O reflexo do ciúme nos filhos

DE QUE FORMA O CIÚME DOS PAIS repercute nas crianças? Depende da maneira como ele é manifestado. Se for na base de brigas e agressão física, vai ser péssimo. Crianças que assistem aos pais brigando fisicamente os vêem como opostos e vivem um sentimento de agressividade e de repressão, o que as deixa muito assustadas e inseguras. Por outro lado, se presenciarem um deles sempre encostando o outro na parede, mesmo sem brigas, podem começar a perder o respeito justamente pelo "ciumado", pois tendem a incorporar as acusações.

Nunca trabalhei com clientes que tenham sido vítimas do ciúme entre os pais, mas sim de um deles, isto é, o pai em relação à filha, a mãe em relação ao filho. Se fosse possível fazer uma classificação, eu diria que o segundo caso é pior. Geralmente, o pai proíbe um namoro e pronto. Na maioria das vezes, a jovem contesta e vai namorar às escondidas. Aliás, raramente um ser humano se submete à repressão; se a aceita, isso indica um transtorno psiquiátrico, do meu ponto de vista médico. Aquele que aceita a submissão vai ser sempre secundário, infeliz pelo resto da vida. Por isso sempre digo que a contestação é saudável. O jovem tem necessidade de contestar, mas infelizmente não sabe como fazê-lo e acaba misturando as estações, de modo que vale contestar tudo. Aliás, um dos caminhos da droga passa por aí.

Desvendando a rebeldia

GOSTARIA DE CHAMAR A ATENÇÃO DOS PAIS para que tenham consciência maior do significado da rebeldia na vida dos filhos. Outro dia uma jornalista veio me entrevistar sobre relacionamentos em geral, e logo de cara percebi que ela estava muito preocupada com a questão das drogas por ter um filho de 13 anos. Na verdade, as drogas são um aspecto secundário, apenas uma conseqüência e uma vitrine. O eixo da estabilidade e do bem-estar emocional dos filhos deve estar apoiado na imposição e no alicerçamento de valores, na capacidade de compará-los, bem como de contestar e aceitar a contestação. Como chegar a isso? No meu entender, com aproximação, confiança e diálogo. Atenção: estou dizendo *dialogar*, e não inquirir ou desconfiar.

O ciúme da mãe dirigido ao filho é bem mais complicado. Embora a sogra do genro tenha se tornado a personagem mais famosa dessa história, a sogra da nora, se ciumenta, é bem mais terrível. Interfere, sutilmente ou não, na vida do casal e tende a criar divisões entre eles. Já tive vários clientes cujas mulheres, a certa altura, deram-lhes o ultimato: "Ou sua mãe, ou eu!" Minha experiência demonstra que o homem tem duas posições nesse caso: ou briga com a mãe, ou se submete.

Na verdade, os homens tendem a ser submissos à mãe. Muitos inclusive fazem comparações para desvalorizar a mulher: "Você não cozinha como minha mãe"; "Você não passa colarinho de camisa como minha mãe". Esse tipo de relação mãe–filho é bastante complexo. Existe a teoria psicanalítica de o homem escolher a mulher como representação da própria mãe. Freud e depois Jung abordaram esse assunto. A busca da mulher seria

O ciúme no seio da família

redesenhada pela experiência que o homem teve com a mãe, ou seja, ele procura similaridades na sua mulher. Quanto mais comprometido estiver com a mãe, psicologicamente e emocionalmente, mais vai escolher alguém igual a ela. Eu discordo, entretanto, de que esse deslocamento do complexo de Édipo tenha caráter sexual, como Freud pretendia. Acho que o homem vai buscar "a mãe" que cuide dele. Aliás, essa parece ser uma tendência universal, assim como não existe mulher que não espere que o homem escolhido cuide dela e a provenha.

Filho único, caçula, do meio... Todos são iguais?

MUITOS ME PERGUNTAM SE O FILHO ÚNICO é propenso a ser ciumento. A resposta é sim, caso ele não seja preparado para viver situações em que será excluído ou não será exclusivo ao longo de sua vida. É que ele foi habituado à exclusividade, teve tudo somente para si em casa. Fora de casa, porém, na vida adulta, ele vai enfrentar situações de competição, vai ter de disputar com os outros e, na maioria das vezes, tem enorme dificuldade de assimilar o fato de que não é o centro das atenções. Nessa linha, o filho caçula pode passar por um processo parecido. Por ser o menor, será o mais bem cuidado; os irmãos terão ciúme dele e, no futuro, poderá ser ele o ciumento, quando tiver de dividir as atenções. Mas o grande problema, no meu entender, quem vive é o filho do meio, pois ele fica sem um papel a desempenhar e sem uma posição. O mais velho tem seu lugar definido: é o primogênito; o menor também: é o caçula. E ele, o que é? Os pais devem prestar atenção no desenvolvimento do filho do meio.

Também pode acontecer de o pai ou a mãe terem preferência por determinado filho, independentemente ou não da hierarquia que ocupe na prole. Trata-se de um comportamento comum, mas jamais confessado. Existem pais que nem sequer têm consciência dessa predileção ou, se têm, imaginam que conseguem escondê-la, sem se dar conta de que podem revelá-la em gestos, pela maneira de falar ou de tomar posição em algum problema doméstico. Evidentemente, essa situação vai trazer conflitos. Já soube de vários casos em que o filho excluído reclamou, e os pais rebateram: "Você está louco, gostamos de todos igualmente".

Esse fenômeno da predileção é um assunto delicado, que sempre gera controvérsias quando abordado. No livro *Um amor conquistado – O mito do amor materno*, escrito por Elizabeth Badinter, questiona-se o amor materno da forma como ele é entendido. Não seria instintivo, mas construído entre mãe e filho. Ou seja, na perspectiva do instinto, o que existe não seria amor, mas sim um mecanismo de proteção. Desse modo, o amor materno não seria incondicional e inato, e sim conquistado numa relação de reciprocidade. É por isso que costumo falar de um termo que me parece forte, embora real: os abortos vivos, isto é, crianças que nasceram devido às crenças religiosas, morais ou sociais dos pais, e não porque foram desejadas, razão pela qual correm o risco de ser rejeitadas, na maioria das vezes, inconscientemente.

Esse sentimento por parte da mãe pode se manifestar inclusive com um comportamento oposto à rejeição, que é a superproteção. Trata-se de um comportamento obsessivo no qual a mãe superprotetora faz as duas coisas ao mesmo tempo: protege

O ciúme no seio da família

e destrói, ao impedir que o filho viva plenamente, em função do seu excesso de cuidados sufocantes e vigilância. Percebo esse quadro em determinadas situações familiares, e o resultado é um filho marcado e uma mãe cheia de culpas. Se esse tipo de problema se manifestar, não adianta camuflá-lo ou fingir que não existe. O caminho é a pessoa se autodenunciar, questionar-se e rever suas posições. É claro que não vai fazer isso publicamente; é um exame, ou melhor dizendo, uma revisão só para ela mesma. Com isso, estará dando o primeiro passo em direção a uma convivência familiar sadia e satisfatória.

No capítulo seguinte, vamos falar do ciúme entre irmãos. Afinal, só não passou por isso quem é filho único.

O ciúme entre irmãos

13

Quero abrir este capítulo falando sobre a imensa responsabilidade de sermos pais. São papéis que não podem ser desempenhados levianamente nem sequer por um minuto. E aqui preciso expor o que penso acerca de relações hierarquizadas entre pessoas, como é o caso de pais e filhos, professores e alunos, médicos e pacientes. Em relações desse tipo, aquele que detém o papel superior também tem atribuições que exigem muito cuidado no seu exercício. Muitos confundem hierarquia com poder, mas eu a entendo como responsabilidade. Se estou dando uma aula e os alunos dormem, a culpa não é deles; eu é que não estou sendo competente. Do mesmo modo, acho que o general não manda no coronel, ele é *responsável* pelo coronel. É a mesma coisa com os filhos. O filho não será "um peste" por si só. Ele é apenas uma pessoa, e cabe aos pais saber ler e interpretar as mensagens que o filho está emitindo com suas atitudes, a fim de educá-lo adequadamente.

Os pais, em geral, tendem a atribuir os problemas do filho ao temperamento dele, à escola, aos amigos, ao outro cônjuge e assim por diante. É uma postura de "desresponsabilizar", que, de resto, permeia a sociedade no seu conjunto: "Eu não sou culpado, a culpa é dos outros, do sistema político, do governo – eu sou apenas uma vítima".

Competição fraterna

FIZ ESSA INTRODUÇÃO PARA ENCAMINHAR o tema ciúme entre os filhos. Ele começa na competição entre os irmãos pelo reconhecimento, carinho e atenção dos pais. Vamos relembrar aqui que os pais não amam todos os filhos igualmente. Pode haver referências nítidas ou necessidade de atenção obrigatória para um deles por questões de saúde num determinado momento ou em caráter permanente. Em ambos os casos os outros filhos se ressentem. Por isso, o ponto essencial é evitar a exclusão, não deixar o filho sentir-se fora do conjunto, rejeitado. Tomemos o célebre exemplo do filho mais velho e do seu ciúme do irmãozinho que vai nascer. Se a questão não for bem trabalhada, vai marcá-lo para o resto da vida. Qual deve ser a conduta? Logo que surgir a notícia da gravidez, deve-se fazer que seja um acontecimento para todos, isto é, a família está grávida: "Vai vir um irmãozinho que vai somar, e não dividir"; "Vamos ter outra pessoa conosco"; "Você vai ganhar um irmão e um amigo, não vai perder os pais". Naturalmente os pais terão de se desdobrar para atender o novo bebê e suprir as carências do filho mais velho.

Posso relatar meu caso pessoal. Guilherme tinha 9 anos quando Cynthia ficou grávida de Flávia. Fui lhe contar que viria

O ciúme entre irmãos

um bebê, cujo sexo ainda não sabíamos. Ele disse que preferia um cachorro. Cynthia teve a inspiração de perguntar: "E se for uma irmãzinha?" Ele disse que ia pensar no assunto e mais tarde veio dizer que, se fosse irmã, ele topava. Mas e se fosse menino? Trabalhamos esse problema dentro da idéia de que, se fosse um irmão, ele ganharia um companheiro, a quem podia ensinar muitas coisas, brincar junto etc. No entanto, tivemos sorte, pois logo o ultra-som mostrou que era uma menina. Mostramos a fita para ele, pedimos que colocasse a mão na barriga da mãe para sentir os movimentos do bebê, para que acompanhasse toda a gestação e o parto. Ele estava inclusive na ante-sala do parto no dia do nascimento. Por azar, a nenê teve problemas e precisou ficar uns quinze dias na UTI, onde Guilherme não podia entrar. Eu, para ser fiel ao princípio de que ele tinha de participar, comecei a bolar um jeito de levá-lo à UTI, até porque ele estava sentindo e manifestando nossa aflição. Guilherme esmurrava a cama e gritava que queria ver a irmã. Quando os adultos tentavam contê-lo nessas crises, dizendo que a irmã estava bem, eu rebatia: "Deixe-o se manifestar; ele está sentindo como nós".

Com a cumplicidade de uma médica e uma enfermeira, que compartilhavam comigo a convicção de que era importante para ele ver a irmã na UTI, lá fomos, sorrateiramente, num dia em as duas estavam de plantão. Antes eu fiz uma preparação. Disse que os tubos, a que chamei de caninhos, eram para o nenê respirar melhor. De resto, Guilherme estava mais ou menos familiarizado com hospitais, porque, além de mim, o avô também é médico e já o havia levado a visitas médicas. Guilherme entrou na UTI, viu a irmã e saiu, não quis ficar lá. A visita

O ciúme entre irmãos

o acalmou. Eu, mesmo preocupado com Flávia, fiz questão de inseri-lo na situação.

Depois, quando fomos para casa, tivemos a famosa fase da birra. É assim que as crianças manifestam sua insegurança e seu ódio: com birra e manifestações de agressividade. Também pode haver uma tentativa de regressão, outra experiência que tive. Fui comprar chupeta para a nenê e Guilherme foi comigo. Ele quis uma – com 9 anos. Por que não? Comprei uma chupeta para ele, que a usou até chegar em casa e não quis mais saber. Se eu tivesse dito "não" e o repreendido – "Onde se viu menino com 9 anos de chupeta?" –, ele teria se fixado naquilo. Depois, quis mamar na mamadeira, experimentar o leite do peito, deitar no berço da nenê. Por que não? Ele não estava pedindo nada impossível. Mas a tendência dos pais é dizer não, impedir a participação. Os pais precisam ter liberdade para atender às coisas possíveis. Se, por exemplo, o mais velho quiser segurar o bebê no colo e ficarmos com medo de uma queda, devemos estabelecer uma boa margem de segurança, pedindo que ele o segure em cima da cama, por exemplo.

Voltando à questão da agressividade, ela é uma resposta natural à frustração, assim como a depressão. Uma pessoa frustrada pode responder dessas duas formas, separada ou alternadamente, até conseguir digerir sua frustração e a sensação de perda que teve. Essa agressividade precisa ser compreendida e aceita – o que não quer dizer falta de limite. É claro que uma pessoa tem de aprender a aceitar frustrações, a admitir a vinda de um irmão, pois afinal de contas não é a dona do mundo. Minha posição, contudo, como terapeuta, professor e pai, é jamais impor ou mandar; é necessário aprender a compartilhar. Dependendo da forma como os pais reagem à agressividade, a relação com o filho pode ficar estremecida pelo resto da vida. Isso não vai aparecer de imediato, a criança vai acumulando seus conflitos e, mais tarde, "esses pequenos assassinatos" vão repercutir.

Freud e Buber

DO PONTO DE VISTA DO CIÚME DO MAIS VELHO, os casais, em geral, escolhem o pior momento para ter o segundo filho, que é quando o primogênito está por volta dos 3 anos. Por quê? Porque nessa hora está se fechando, tecnicamente, o triângulo do complexo de Édipo. Esse é um tema complexo, e vou tentar esclarecê-lo da melhor forma possível, misturando um pouco a teoria freudiana com a existencialista. De acordo com essa última, o sentido da vida é a relação, a célebre teoria de *eu–tu*, de Martin Buber: "Eu existo em relação ao outro". Como isso se processa na cabeça da criança? O *tu* é o pai ou a mãe. Por volta dos 3 anos, a criança começa a perceber que existe um *ele*, que também é o pai ou a mãe. Dá-se conta, então, de que o *tu* se relaciona com *ele*, numa ligação da qual não participa. O que se passa na cabeça dessa criança? "Até então era eu com você, pai e mãe; agora são vocês dois entre si e eu estou fora". Para uma criança é angustiante, desesperador, sentir-se excluída. E, justamente nesse momento, vai surgir um quaro elemento na história, que é o irmão.

O período dos 3 aos 5 anos – a fase edipiana clássica – é o mais difícil para aceitar e assimilar a introdução de um irmãozinho. Consiste no momento agudo daquela questão da exclusão, da qual falamos anteriormente. O ideal seria ter o segundo filho logo em seguida ao primeiro ou muito tempo depois. Mas, como ideal não existe, a solução, como estamos vendo até agora, é procurar incluir o filho mais velho na situação toda. Se for convidado a entrar, e houver esforços nesse sentido, ele não vai se sentir excluído. Caso contrário, tentará entrar de forma agressiva, justamente por estar se sentindo desprezado. Atenção, porém: incluir não significa obrigar a aceitar, deitar o irmão goela abaixo, algo do tipo: "Você vai cuidar do seu irmão; vai passear com ele". Essa inclusão deve ser feita conforme o limite de possibilidade e o desejo do mais velho. De modo geral, caso haja a disposição, o bom senso indicará os caminhos.

Para encerrar este capítulo, vou abordar uma situação corriqueira que acontece com a chegada de um bebê: o mais velho não quer ir à escola, fato que atormenta os pais por não saberem como agir. Minha sugestão é observar e ir com calma e paciência. Comecemos com a pergunta: "Por que você não quer ir, o que está acontecendo?" Muitas vezes, o sentimento de exclusão que ele vive em relação ao irmão também está acontecendo ao mesmo tempo com os colegas. Na escola, a criança está tendo de aprender a conviver com os outros, com o "nós", pronome pessoal do plural – algo próprio da idade em que se encontra. Esse processo do "nós" tanto pode incluir quanto excluir, conforme os princípios de coletividade – de democracia, vamos dizer – que regem a convivência. Portanto, a criança pode estar, com sua recusa de ir à escola, deslocando seus conflitos da escola para casa, e vice-versa. O caminho é trabalhar em conjunto com a orientação da escola. E ter paciência. A experiência mostra que, se a criança não quiser ir à escola no primeiro, no segundo ou no terceiro dia, no quarto ela irá. Nada de querer resolver o problema com violência, pois dessa forma sua causa fica embutida e vai, como já disse, estourar mais para a frente.

A química do corpo e o ciúme

14

Reservei o último capítulo para um assunto extremamente curioso, novo, polêmico e oportuno: a relação entre a manifestação de sentimentos e de distúrbios psicológicos e as funções bioquímicas do corpo humano. Naturalmente, vou enfocar o ciúme, que é o nosso tema. Vamos imaginar esta situação: uma pessoa sofre de uma deficiência de serotonina, o que está afetando negativamente sua auto-estima. Isso pode torná-la insuportavelmente ciumenta, atrapalhando sua vida afetiva e outras relações de modo geral.

O que tem que ver uma coisa com outra? Para entendermos bem essa questão, é necessário explicar um pouco como funciona nosso corpo nesse terreno. Até pouco tempo atrás, dizia-se que a nossa personalidade se originava de duas vertentes: do temperamento, que de alguma forma é herdado, e não se sabe como, e do caráter, que consiste na modelagem desse temperamento por meio da educação. O resultado desse encontro seria complementado pela inteligência, responsável pelo maior ou menor desenvolvimento da personalidade.

Nos últimos anos, entretanto, principalmente nos anos 1990, chamados de "a década do cérebro", foram feitas descobertas importantes a respeito das enzimas – denominadas catecolaminas – que fazem a transmissão entre os neurônios. Existem mais de mil, mas uma delas chamou a atenção por suas particularidades: a serotonina. É que sua deficiência se relaciona com situações de depressão, síndrome do pânico (que na verdade é um estado agudo de ansiedade) e transtornos obsessivo-compulsivos. Isso foi constatado mediante o uso de medicamentos que aumentavam a oferta da substância no organismo. A substância fluoxetina tornou-se a grande estrela desses medicamentos e recebeu o título de "pílula da felicidade" por causa dos seus efeitos espetaculares para proporcionar bem-estar aos usuários. O barulho provocado levou o psiquiatra norte-americano Peter Kramer a escrever o livro *Ouvindo o Prozac*, no qual os pacientes relatam a influência positiva do medicamento. A principal observação de Kramer é que uma oferta maior de serotonina melhorava a auto-estima dos pacientes.

Ainda hoje se procura investigar cientificamente o efeito das medicações antidepressivas em pessoas normais. Há um grande estudo desenvolvido no Instituto de Psiquiatria do Hospital das Clínicas de São Paulo a esse respeito, mas ele esbarra em um fato até certo ponto risível: não foi possível, até agora, obedecendo todos os padrões da Associação Psiquiátrica Americana, encontrar pessoas "normais"...

A "pílula da felicidade"

FAZ-SE OPORTUNO EXPLICAR O MECANISMO do medicamento. O neurotransmissor serotonina é produzido por um neurônio e lançado na sinapse, uma estrutura que faz a ligação entre dois neurônios e depois é automaticamente reabsorvida; o medicamento apenas aumenta o tempo em que a substância fica disponível na sinapse, sem a produzir. A fluoxetina foi objeto de grandes polêmicas na época e acabou sendo proibida, acusada de provocar a liberação de agressividade e de estimular suicídios em função de dois casos registrados nos Estados Unidos. No entanto, a proibição foi levantada após a comprovação de que, naqueles episódios, o remédio era contra-indicado. Depois do sucesso da fluoxetina, surgiram remédios similares, como o citalopram, a sertralina, a paroxetina e vários outros.

Comecei a pesquisar e a observar meus pacientes e constatei que a história da serotonina era verdadeira. A presença da substância aumenta nas pessoas a capacidade de discernir, tomar atitudes e decisões, bem como seu poder de liderança. Esse último item, aliás, foi confirmado em experiências realizadas com macacos na Califórnia. O macaco líder era justamente aquele que tinha o nível mais alto de serotonina no organismo; retirado da liderança, foi substituído por outro cuja presença de tal substância era a segunda mais alta do grupo. E mais: à medida que foi exercendo a liderança, o nível de serotonina cresceu. Depois, quando o antigo líder voltou à ativa, ele retornou à sua posição anterior e o nível da substância começou a cair. Infelizmente, ainda não é possível medir a oferta de serotonina intracerebral – só se faz isso pelo sangue –, o que está dificultando o avanço das

A química do corpo e o ciúme

pesquisas. Porém, a prática tem demonstrado que pessoas com a serotonina aumentada por meio de remédios sentem melhora na vida emocional e na produção intelectual. Tive clientes que, com três meses de Prozac, saltaram barreiras que até então pareciam intransponíveis na terapia.

Mas o que isso tudo tem que ver com ciúme? Vamos voltar ao início do capítulo. O ciumento tem baixa auto-estima, que está ligada à falta de serotonina no organismo. Se a pessoa tem um déficit, cresceu enfrentando mais dificuldades e conhecendo fracassos por não conseguir superá-las. Cresceu, portanto, com uma vivência interior de fracassos e de exclusão, com a consciência ou a idéia de valer menos do que os outros, inclusive porque o mundo foi lhe mostrando essa realidade, e isso vai transparecer na sua relação afetiva com alguém. E é claro que vai sentir medo de perder o parceiro para qualquer outro. É então assaltada pelo sentimento de posse do parceiro, abrindo espaço para o ciúme.

Acredito que o déficit de serotonina no ciumento poderia ser corrigido por meio de medicamentos. Eu realizei uma experiência com um paciente ciumento obsessivo-compulsivo, mas se tratava de um caso em que não havia dúvidas, clinicamente falando, sobre a indicação do medicamento. O paciente obteve melhoras fantásticas tanto na obsessão como na compulsão. (Obsessão é cultivar um pensamento fixo e compulsão é agir com base naquilo que se pensa.) Ele continua tomando o medicamento.

Segundo padrões da Organização Mundial de Saúde (OMS), a medicação deve ser prescrita por longo período em quadros obsessivos. Nesse tópico, a discussão mais recente é se o medicamento deve ser retirado ou não, pois se suspeita que a suspensão implicaria uma regressão à situação anterior. Acredito que não basta apenas dar serotonina ao paciente com déficit, visto que seria uma intervenção reduzida ao campo biológico e, para mim, o ser humano é biopsicossocial. Ao aumentar sua força de vontade sem se reeducar para a nova situação, poderia sair por aí cometendo algumas "burradas", ou seja, dando trombadas. O adequado é haver um acompanhamento terapêutico, que lhe oferecerá uma experiência emocional corretiva e o ajudará a aproveitar seu novo potencial. Essa é a minha proposta de trabalho. É claro que não prescrevo medicamentos para todo mundo. Só o faço ao perceber algum déficit ou limitação no paciente, não sem antes lhe fazer uma proposta, desde que ele se sinta à vontade para recebê-la.

Prozac versus drogas ilícitas

NOS ESTADOS UNIDOS, ESSA CONDUTA LEVOU muita gente a questionar se a medicação não exercia o mesmo papel de uma droga ilícita. Se se oferecesse cocaína ao paciente, como fez Freud nos primórdios do seu trabalho, não estariam sendo obtidos os mesmos resultados? A resposta de Peter Kramer a esse questionamento é que a droga ilícita apresenta dois componentes: não se pode controlar e é dose-dependente. Vamos tomar a cocaína como exemplo: hoje o usuário fica mais esperto com uma dose de cocaína, mas terá de tomar duas amanhã para chegar ao mesmo resultado. A medicação, por sua vez, tem um limite comprovado cientificamente: se são dois comprimidos, não adianta tomar quatro ou dez – não existe o risco da *overdose* presente nas drogas de rua. Contudo, a medicação pode fazer o papel de uma muleta que ajuda o paciente a andar. É por isso que reafirmo a importância do acompanhamento terapêutico. Com a terapia, o paciente ultrapassa a barreira, poderá enfrentar os problemas com mais habilidade, por ter reaprendido, por ter refeito a sua cognição. E jamais chegaria a esse estado apenas com a medicação.

Em conclusão

ESPERO QUE ESTE LIVRO TENHA trazido alguns benefícios a você, leitor. Acredito que o principal deles já esteja sendo usufruído, que é o despertar da consciência e a conseqüente convicção de que os conflitos e sofrimentos provocados pelo ciúme podem e devem ser superados. Tenho certeza de que, com as informações e experiências reunidas nestas páginas, os leitores vítimas do ciúme encontrarão subsídios para iniciar suas mudanças. Se assim for, nossos esforços serão recompensados: o meu, de haver escrito e cumprido o propósito de transmitir um pouco daquilo que aprendi; o dos leitores, de buscar informações e trocas de experiência com objetivo de melhorar a sua qualidade de vida.

o

www.gruposummus.com.br

IMPRESSO NA
sumago gráfica editorial ltda
rua itauna, 789 vila maria
02111-031 são paulo sp
tel e fax 11 **2955 5636**
sumago@sumago.com.br